国家出版基金项目
NATIONAL PUBLICATION FOUNDATION

《三联经典文库》

第二辑

2012年国家出版基金项目

三联经典文库

183

# 鲁迅纪念特辑

新中国文艺社　编

生活·讀書·新知 三联书店

图书在版编目(CIP)数据

新中国文艺丛刊. 3, 鲁迅纪念特辑 / 新中国文艺社编. -- 北京：生活·读书·新知三联书店,2014.1
(三联经典文库第二辑)
ISBN 978-7-108-04688-8

Ⅰ. ①新… Ⅱ. ①新… Ⅲ. ①文艺-中国-丛刊②鲁迅(1881~1936)-纪念文集 Ⅳ. ①I2-55②K825.6-53

中国版本图书馆CIP数据核字(2013)第256260号

183 鲁迅纪念特辑

责任编辑 戴云波
封扉设计 蔡立国
责任印制 宋 家
出版发行 生活·讀書·新知 三联书店
(北京市东城区美术馆东街22号)
邮 编 100010
经 销 新华书店
印 刷 北京鹏润伟业印刷有限公司
版 次 2014年1月北京第1版 2014年1月北京第1次印刷
开 本 787毫米×1092毫米 1/32 印张 8.125
字 数 112千字
定 价 30.00元

# 《三联经典文库》出版缘起

适逢生活·读书·新知三联书店八十华诞，为弘扬传统，接续文脉，回报读者，服务社会，我们决定策划出版《三联经典文库》。

1932年7月，生活书店在上海创办，此后，读书出版社和新知书店相继成立。本文库第一辑、第二辑所选图书，来自于这三家出版单位及其分支机构，以及1948年生活·读书·新知三联书店成立后的出版物，始于1932年，截至1951年，两辑各一百种。此为第二辑，涉及政治、经济、社会、军事、思想文化诸领域，涵盖专著、文集、散文、小说、诗歌、传记、报道等体裁，既有直面现实、追求真理、讴歌真善美、抨击假恶丑的原创作品，又有引介世界各国先进文化、传播新知、开启民智的逐译之作，真实记录了那一代知识分子的思考与探索、理想与愿景和对中华民族文化传承与创新所做出的努力与贡献。

本文库所辑入各书，多为名家名作，在版本方面，以初版一印本或经著译编者审定、修订、增订过的版本为首选，因此本文库又具有较为珍贵的版本价值和收藏价值。

本文库还将编选续辑，使之成为恢弘文化工程。诚挚希望读者给予批评和指正，帮助我们完善编选工作，再现三联经典作品之风采。殊为遗憾的是，由于年代久远，一些原著译编者及其后人未能取得联系并奉付稿酬，诚盼版权所有者与我们联系。祈愿三联前辈所创造的精神财富能薪火相传，为中华文化的伟大复兴增光添彩。

《三联经典文库》编辑委员会

2013 年 8 月

# 凡　例

一、本文库为重排本，由繁体字竖排版改为简体字横排版。

一、以忠实于原作、整旧如旧为编辑原则，对当时使用的专有名词、外文译名，以及民国时期的语言和特色予以保留。

一、原书注释如旧，编者所出的注释，均以“编者注”标明，以示与原书注释的区别。

一、对原书残缺或字迹漫漶之处，以□示代。

一、对繁简文本转换时的“如右”、“见左”一类，对应改为“如上（前）”、“见下（后）”。

一、对原书中各种错讹脱衍之处，直接订正，不再以其他符号标示。

一、对数字、标点符号的用法，在不损害原文语义的情况下，做必要的规范。

一、本文库各书均前插原书书影、原书版权页和文库版“本书出版说明”。

一、本书出版说明的撰写，以客观中立为原则，扼要介绍本书的内容、版本流转、著译编者的情况。

# 本书出版说明

本书系《新中国文艺丛刊》的编者在鲁迅先生去世三周年之际特约几位作者撰写文章，汇编为“鲁迅纪念特辑”以表达对鲁迅先生的崇敬。其中有景宋的《鲁迅的日常生活》、巴人的《鲁迅的创作方法》、洛蚀文的《鲁迅与尼采》等，纪念特辑的文章后还编排有一些作者的小说、诗歌作品。《新中国文艺丛刊》系 1937 年 11 月上海失守后仍留在上海孤岛的一批爱国文艺工作者所办的一份刊物，为逃避登记和检查带来的麻烦，刊物不叫期刊而称丛刊，编辑者注明为“新中国文艺社”，实际上是由陈望道挂名主编，戴平万负责具体工作，共出版了四辑，本书即为其中的第三辑。

本书初版于 1939 年 10 月，由“新中国文艺社”出版、读书生活出版社发行。此次出版即以此版为底本。

作者景宋（1898-1968），即许广平，鲁迅夫人，广东番禺人，1926年毕业于北京女子师范大学，后协助鲁迅工作。1949年出席全国政协第一届全体会议，后任中央人民政府政务院副秘书长、全国妇联副主席、民进中央副主席等。

作者巴人（1901-1972），即王任叔，中国作家、文艺理论家，浙江奉化人。文学研究会成员。早年参加中国共产党，1930年加入“左联”，抗战时期曾和许广平共同主持《鲁迅全集》的编辑工作。新中国成立后担任人民文学出版社副社长、社长兼总编辑等。

作者洛蚀文（1920-2008），即王元化，中国文艺理论家、学者。祖籍湖北江陵，生于武昌。20世纪30年代曾任中共上海地下文委委员，主编《奔流》杂志。1955年曾受“胡风案”牵连，1979年平反。后出任中共上海市委宣传部部长、华东师范大学教授、《辞海》副主编等。

生活·读书·新知三联书店

2013年8月

新中国文艺社 1939 年 10 月初版书影

新中國文藝叢刊 3

# 魯迅紀念特輯

Lu Sin Ginian Tezi


編輯者：新中國文藝社

出版者：新中國文藝社

總經售：讀書生活出版社

香港 擺花街三十三號三樓
重慶 武庫街一百號
成都 祠堂街七十二號
昆明 華山南路九十號
貴陽 中華南路五十七號
桂林 桂西路十七號

中華民國廿八年十月初版




沿海價：國幣六角
內地價：國幣八角

原书版权页

# 目次

# 鲁迅的日常生活
## ——起居习惯及饮食嗜好等

景宋

我所认识的鲁迅先生，只不过占其全生涯的五分之一强，比较起许多他的老朋友，还是知道得不算多，写起来未必能周到。不过承好些朋友的督促，以为研究这时代的中国思想者，就是一饮一息，也不少可资参考的。为了义不容辞的责任，就拿起笔来了。然而每回关于谈到他的一切，却使我伤恸，时常眼睛被水蒸气蒙住了，以致搁起笔来。我愿意追述他，又怕追述他，更怕追述得歪曲了，丧失了我对于他的敬意。我诚然做过他的门徒，但离开了学生生活之后还是一样敬重的我的导师，我将能怎样描写我心中所愿意说的话？

“囚首垢面而谈诗书”，这是古人的一句成语，拿来转赠给鲁迅先生，是很恰当的。我推测他的所以“囚首垢面”，不是故意惊世骇俗，老实说，还是浮奢之风，不期引起他的不重皮相，不以外貌评衡一般事态，对人如此，对自己也一样。

做学生的时候，我会正如一般玩童，边听讲边把这位满身补钉，不，满天星斗，一团漆黑，长发直竖的先生速写起来。我更很快就研究他的为什么？后来比较熟识了，我问他是不是：特意做成这样的“保护色”，使人家不注意？他好像默认地笑了，这时我以为探寻到什么似的喜悦，给我猜中了罢。

其实，沉迷于自己的理想生活的人们，对于物质的注意是很相反的，有谁见过那些发明家，在沉湛于学问的研求时，还时刻想到他的生活？为了医学上的研究，甚至把有害生命的细菌也吞到自己肚子里做实际试验的精神贯注，不顾一切的人，不是也听到过的吗？所以鲁迅的一种寒伧之状，正不足为奇的。

另外的原因，他对于衣服极不讲究，也许是一种反感使然。据他自己说，小的时候，家人叫他穿新衣，又怕新衣弄污，势必时常监视警告，于是坐立都不自由了，是一件最不舒服的事。因此他宁可穿得坏些，布制的更好。方便的时候，譬如吃完点心糖果之类，他手边如果没有揩布，他可以很随便地往身上一揩。初到上海的时候，久穿了的蓝布夹袄破了，我买到蓝色的毛葛换做一件，做好之后，他无论如何不肯穿在身上，说是滑溜溜不舒服的。没有法子，这件衣服转赠别人，从此不敢做这一类质地的衣料。直到他最后的一年，身体瘦弱得很，经不起重压，特做一件丝棉的棕色胡绉长袍，但是穿不到几次就变成临终穿在身上的尸衣，恐怕这算是成人以后最讲究的一件了。

他对于幼年穿新衣的不自由，给予深刻的印象，所以对于海婴的衣着也一样，穿了之后，是不愿意叫他当心的，如果他的小手也揩在身上，那算是和父亲学样，满不在乎的，可怜就是我在旁边看到的不舒服，也不好干涉，这时完全孤立了。

孔子的“栖栖遑遑”是为的周游列国想做官来达到他改革社会的理想。而鲁迅也终日“栖栖遑遑”地“席不暇暖”，却为的是人手少，要急着做的事情正多，他一以当百还嫌不够。他时常说：“中国多几个像我一样的傻子就好了”，“有一百个，中国不是这样了”。所以一面自己加紧工作，一面寻求精神的战士。

有些青年，是那么热切地登门求教。在北平，我所见到的他的寓所，是时常川流不息地一批去了又来一批，甚至错过了吃饭的时间来陪客的。自然这其中也许有些不过是来听听他的幽默谈话，博得轻松的一笑而去。这当然对于他是一种损害，但更不乏至诚至敬地来求教的人。他绝不忍为了宝爱自己的光阴而拒却过。有时谈兴正浓，他反而会留你多坐一会。诚挚而又沉潜，久之意气相投，和他共鸣的精神战士，以他做轴心，而放散到四面八方的不知凡几。

因为工作的繁忙和来客的不限制，鲁迅生活是起居无时的。大概在北平时，平均每天到夜里十一——十二时始客散。之后，如果没有什么急待准备的工作，稍稍休息，看看书，二时左右就入睡了。他并不以睡眠而以工作做主体，譬如倦了，倒在床上睡三两小时，衣裳不脱，甚至盖被不用。就这样，像兵士伏在战壕休息一下一样，又像北平话的“打一个盹”，翻个身醒了，抽一支烟，起来泡杯浓清茶，有糖果点心呢，也许多少吃些，又写作了。《野草》，大部分是在这个时候产生出来的。

有时写兴正浓，放不下笔，直至东方发白，是常有的事。在《彷徨》中的《伤逝》，他是一口气写成功的。劝他休息，他就说："写小说是不能够休息的，过了一夜，那个创造的人的脾气也许会两样，写出来就不像预料的一样，甚至会相反的了。"又说："写文章的人，生活是无法调整的，我真佩服外国作家的定出时间来，到时候了，立刻停笔做别的事，我却没有这本领。"

但是他的脾气也并非一成不变。在上海，头发也不那么长了，衣服也不一定补钉了，差不多的时候也肯抽出时间做清洁运动了，他并不过分孤行己意，有时也体谅到和他一同生活的别人。尤其留心的是不要因为他而使别人多受苦。所以，他很能觉察到我的疲倦，会催促快去休息，更抱歉他的不断工作的匆忙，没有多聚谈的机会，每每赎罪似的在我睡前陪几分钟。临到我要睡下了，他总是说："我陪你抽一支烟好吗？""好的。"那么他会躺在旁边，很从容地谈些国家大事或友朋往来，或小孩子与家务，或文坛情形。谈得起劲，他就要求说：

“我再抽一支烟好吗？”同意了，他会谈得更高兴，但不争气的多是我，没有振作精神领受他的谈话，有时当作是催眠歌般不到一支烟完了立刻困熟了，他这时会轻轻地走开，自己去做他急待动笔的译作。

偶然也会例外，那是因为我不加检点地不知什么时候说了话，使他听到不以为然了。或者恰巧他自己有什么不痛快，白天，人事纷繁，和友朋来往，是毫不觉得的，但到夜里，两人相对的时候，他就沉默，沉默到要死。最厉害的时候，会茶烟也不吃，像大病一样，一切不闻不应，那时候我真痛苦万状。为了我的过失吗？打我骂我都可以，为什么弄到无言！如果真是轻蔑之极了，那我们可以走开，不是谁都没有勉强过谁吗？我不是伤痛我自己的遭遇，而是焦急他的自弃。他不高兴时，会半夜里喝许多酒。在我看不到的时候，更会像野兽的奶汁所喂养大的莱谟斯一样（用何凝先生的言语），跑到空地去躺下。至少，或者正如他自己所说：像受伤了的羊，跑到草地去舐干自己的伤口。跑到没有人的空地方蹲着，或睡倒。这些情形，我见过不止一次，我能这时候把他丢下不理吗？有一次，夜饭之后睡到黑黑的凉台地上，给三四岁的海婴寻到了，他也一声不响地并排睡下，我不禁转悲为笑，而鲁迅这时倒爬起身来了。他决不是故意和我过不去，他时常说："我们的感情算好的。"我明白他的天真，他对一切人可以不在意，但对爱人或者会更苛求，后来看到海婴的对我时常多方刁难，更懂得了为什么对最关切的人如此相待。受到社会上许多磨难的他，一有感触，会千百倍于常人的看法的。我同情他，但不知此时如何自处，向他发怒吗？那不是我所能够。向他讨饶吗？有时实在莫明其妙，而且自尊心是每个人都有的，我不知道要饶什么。抑郁，愁闷，怅惘，彷徨，真想痛哭一场，然而这是弱者的行径，不愿意。就这样，沉默对沉默，至多不过一天半天，慢慢雨散云消，阳光出来了。他会解释似的说："我这个人脾气真不好。""因为你是先生，我多少让你些，如果是年龄相仿的对手，我不会这样的。"这是我的答话。但他马上会说："这我知道。"

他处理他的书籍文具，似乎是比生命还着重，看看他的衣身，是不会想到这样一个相反的对照的。比如书龌龊了，急起来他会把衣袖去揩拭，手不干净，也一定洗好才翻看。书架的书，是非常之整齐，一切的文具用品，是他经手的，都有一定的位置，不许放乱，他常说:“东西要有一定的位置，拿起来便当，譬如医药瓶子，换了地方，药剂师是会犯错配药的危险的。”他处理用品，就像药房的整然有序，无论怎样忙，写完字之后，一定把桌面收理好，然后才做别的事。他的抽屉，也一样的有秩序，是不愿意人搬弄的。在北平时，他小小的寝室，经常也是会客室，怕人家随手翻乱他的书，所以爱好欣赏些的，总是收藏在较不注意的地方。他更不愿意借书给人，除非万不得已。遇到来借，倒不如另买一本赠送较妥。有时送给他的丛书，为了急于把同类的包藏起来，就是我预备看时也会嫌等得太久而包起的，曹禺先生的《日出》，我就没有看完，给划然中止，好像电影正开到一半停住了的不舒服。但是如果海婴来抢他看开的书，或翻弄他的图画书，他却从未阻止过，至多叫我在旁边帮忙照料，让他看完才收好。他对于幼小者的同情，不肯拂逆他的意志，无论在什么时候都一样，甚至对于他酷爱的书也如此。

他对于书的看重，我没有见过第二个人像他这样，比如人家送他的《小说月报》、《东方杂志》等的定期刊物，他看完之后，总是每五六册做一包，扎好，写上书名和第几期至第几期，以便检查。凡是他包过的书，那方正紧凑，拆开之后，我是再也不能照样包好的。他不但包得好，对于扎的绳子也很留意，如果是好些的书，或线装本，扎时一定拣那些有浆质棉线做的绳子，免得扎的地方日久留一条线痕。就是这扁平的棉绳，扎时也要摊平，线头的结，一定要打在书的边缘，省得将来压着一个结的痕迹。有时人们送给他的定期刊物如《文学》之类，偶然收到一本装订不大齐正的，他一定另外托人再买一本较好的换过。自己印好的书，也首先拣出两部，包存起来。这爱惜的书，我很对不起他，自他死后，未能好好地整理妥存起来，不免有些污损的了。

对于线装书，他也能够拆散，修理，装订完好。像《北平笺谱》的线装之外更布包角头，遇有缺叶时，都是他自己拆添完善，和原来一样齐正。而且订的双线也一定使它平行，绝不肯让其绞缠一起。有时对于太旧的古书，两头都被尘埃染黑了，他也会一手紧压，一手用浮水石把它磨干净，使之焕然一新。

洋装书如果是时常用到的，他就先包一张书皮，省得龌龊。送给我的好些新书，他更欢喜把腊光纸给包一张封面。在北平，有时到他那里，他会把四五本自己写作和别人的著作，每本都用雪白的纸包好见赠，接到手真不知如何从心底感谢呢。

他不但包装书好，信封也做得好，大约一些老朋友还记得收到过用他亲手做的信封的。在北平时，常常看见他把寄来的比较大而质厚的信封翻转面，更有时是把一张长方纸做成一只信封，非常之齐整匀称，绝不歪斜，大小异形。用一定的方法，技巧，纯熟而又敏捷，一下子做出一批来了。既能把包裹纸改成信封，真所谓化无用为有用，更于他那时的经济条件适合。但我还不了解他的苦心，反而向他恶作剧似的讽刺，把见到的纸张都叠起来请他做信封。然而他何必多作辩解呢，只笑一笑就是了。想起来多难过，我太肤浅，类似这样的捣乱真可恶！

说到废纸做信封，我更忆起他日常生活之一的惜物。每于包裹的东西拆开之后，不但纸张摊平，放好，留待应用，而且更把绳子卷好，集在一起，预备要用的时候，可以选择其长短粗细，适当地用。自然这些无关大体的琐屑细微之极的枝叶问题，或者是毫不足道的。在一些大人先生们或洋博士之流，何尝会把这笺笺放在眼里。而他则正惟其如此，日积月累地，随时随地可省则省，留有用的金钱，做些于人于社会有益的事。不然，不管他如何大心助人，以区区收入，再不处处俭省，怎能做到他当时所愿做的呢。

有些地方他却不愿意节省，例如住房子。我们初到上海，不过两个人，平常租一层楼就够用了，而他却要独幢的三层楼，宁可让他空出些地方来，比较舒服，虽然女工倒是不用。吃的东西虽随便，但是隔夜的菜是不大欢喜吃的，只有火腿他还爱吃，预备出来不一定一餐用完，那么连用几次也可以。素的菜蔬他是不大吃的，鱼也懒得吃，因为细骨头多，时间不经济，他觉得把时间用在这种地方是可惜的。照例日常以鱼肉菜蔬做主体，但这里已经有一大部分不爱用了。爱用的还有辣椒，说起来也有一段可悲的生活在里面。据他时常说起的是：当他领受他母亲的八块钱到南京求学，到了之后，款就用完了。入学之后，再没有多余的钱可以给他做御寒的棉衣，而冬天来了，砭人肌骨的寒威，是那么严酷。没有法子，就开始吃辣椒取热，以至成了习惯，进而变为嗜好，因之更是损害到胃的健康的要素之一。糖也欢喜吃，但是总爱买三四角钱一磅的廉价品。在北平时，东城有一家法国点心铺，算是那时首屈一指的了，很难得的机会，他才从收到的有限的稿费里买两块钱蛋糕来吃，而且也欢喜请我们。有时我怪问他为什么刚才不拿出来请客，他却叹息地说："你是不晓得的，有些少爷真难弄，吃了有时反而会说我阔气，经常吃这样点心，不会相信我是偶然的。"这可见他的随处小心，一面我也疑心到他的过虑。但事实是：有时他知道某一位的艰困，请他们吃便饭，结果会说是他用酒食贿赂的呢，有的人就能够这样出奇，也难怪他的过虑。即使如此过虑，也还不免于毁谤的到来，所以有时他的举动，如果不是在社会上身受到多方的经验，是不大容易了解的，至少我自己觉得越过一天越加深地了解他。

人们对于他的饮酒，因为是绍兴人，有些论敌甚至画出很大的酒坛，旁边就是他。其实他并不至于像刘伶一样，如果有职务要做，他第一个守时刻，绝不多饮的。

他的尊人很爱吃酒，吃后时常会发酒脾气，这个印象给他很深刻，所以饮到差不多的时候，他自己就紧缩起来，无论如何劝进是无效的。但是在不高兴的时候，也会放任多饮些，例如在厦门大学，看到办教育的当局对资本家捧场，甚至认出钱办学校的人好像是父亲，教职员就像儿子的怪论，真使他气愤难平，当场给予打击。同时自己也豪饮起来，大约有些醉了，回到寝室，靠在躺椅上，抽着烟睡熟了，醒转来觉得热烘烘的，一看眼前一圈火，身上肚腹部的棉袍被香烟头引着了，救熄之后，烧了七八寸直径的一大块。后来我晓得了，就作为一个根据，不放心他一个人独自跑到别的地方。

茶饮得很多的，而且一定要清茶。在北平时，他独用一只有盖的旧式茶杯，每饮一次泡一次，很浓，是我们用起来觉得有苦味的，还可以再泡一次的程度。到了上海，改用小壶泡茶，但是稍久之后，茶的香气会失去的，如果不是工作太忙，没有时间细细品茶，他就会要求另换一壶。等到新鲜的茶来了，恰到好处的时候，他一面称赏，一面就劝我也饮一杯，因此也学到会吃浓茶了。

他更爱吸烟，每天总在五十支左右，工作越忙越是手不停烟，这时候一半吸掉，一半是烧掉的。在北平和章士钊之流的正人君子斗争，医生曾经通知过他服药同时吸烟病不会好的，我们几个学生那时就经常做监视的工作，结果仍然未能停止，从此之后，只不过劝告减少而已。他用的烟是廉价品，遇到朋友送些好的，也不肯独用，一定分赠些给别人，共同欣赏。还有一种似香烟粗细，用烟叶卷成的廉价品，吸起来似雪茄烟气味，他也爱好，但气息不好，我不欢喜，他也就不用了。偶然也吸雪茄烟，似乎并不很爱。烟灰缸却一定要深而且大，放些水省得灰随风乱飞。烟嘴是在上海以后才经常用的。人又俭省，总是吸到再不能拿，烧手了，这才弃掉。如果那些拾香烟头的遇到他，一定没有好处，因为那一部分已经给烟油弄潮湿不好再用了。

记不清有谁说过，鲁迅的生活，是精神胜于物质。的确的，他日常起来迟了，多在十一时余，那么午饭就吃不下了。这样一起床就开始做工作，有时直至吃夜饭才用膳，也不过两三种饭菜，半杯薄酒而已。想起来却是我的罪过，不会好好地注意他的营养，到后来，好像灯油的耗尽，那火光还能支持吗？

我很直白地把他的生活写出来，但并不希望我们的文坛志士因热爱他而全盘模仿。这不是写这篇短文的本意。譬如我是他学生，有朋友看到我对于他的一切，恰好他的爱人也是学生，于是很神气地说："我是你的先生，我应该教你。你应当像某某一样。"又有一位听到我说过鲁迅不肯借书给人，于是对他的爱人也如此，这未免太"那个"了。我想该不必如此的。

## 延安的鲁迅艺术学院

延安鲁迅艺术学院不仅是为纪念这位全国青年大众所爱戴的导师，而且表示出要坚决承继着鲁迅先生的一生在文艺事业上不屈不挠的为国家为民族的伟大精神的。鲁艺就秉着鲁迅的大无畏精神，已艰苦卓绝地奋斗一年了。

在一年的艰苦奋斗的工作过程中，鲁艺壮大了，从第一届的六七十人到第二届的一百五六十人，直到现在的第三届增加到四百人。从学习部门，第一届只有戏剧，音乐，美术三系，第二届就增加文学系，到第三届又成立综合戏剧，音乐，美术，文学的普通部，和原来分系的成为专修部。鲁艺如此飞快的扩大，是因为鲁艺产生在大时代的抗战烽火中，更重要的是因为鲁艺执行了正确的战时艺术教育的方针，这教育方针，就是培养新的抗战艺术干部，发扬民族形式的和大众化的艺术。

由于全体教职学员的努力，在艺术工作的各部门（戏剧，音乐，美术，文学）一年来都有很大的进步，如在戏剧方面新旧形式的研究及尝试；音乐方面，民歌小调的收集和改编，歌剧的创造；美术方面，木刻宣传画的加深研究和普遍的发展；文学的集体创作运动等。艺术应该反映时代和现实，离开时代和现实的艺术不仅不能向前进步，而且渐渐会被淘汰。

鲁艺虽没有做到什么大的成绩，但是一块新的土地，在这块新的土地上，将开出伟大的艺术之花。

# 鲁迅的创作方法

巴人

## 一　作品的产生过程

半年前为了答复一位年青朋友的关于写作的问题，我写过一篇短文:《作品的产生》。说明“一篇作品的产生，不外有二种过程。其一是在生活实践中对于某种事象，看出一点什么意思来了，觉得非把这意思提供给大家不可，于是就把这意思作为作品的组织力，把一切事象交织在这一意思里，用形象化的手法给这意思烘托出来。……其次，有的作者写作时却不一定看出了一点什么意思，然后动笔，而是凭着对某种事物的趣味，觉得心痒痒的非写它出来不可。……这趣味是在生活实践中主体和客体的融和之下产生的。因之这作者的中心思想——也就是他对于事物的真理的把握就包容在这趣味中表白出来了”。

在四年前，我写了一篇《〈乡长先生〉校后记》，附在《乡长先生》这小说的后面，另收在文艺短论里，关于一篇作品的形成，有比以上更具体的意见。那文章的一段如下：

> 一篇作品的形成，大抵有三条路子：第一，是亲身体验过的生活的记述。当然，其间也经过删酌，伸缩，添加，穿插，针对一个主题前进，并不是原原本本写下来的。但也因为是亲身体验过的，这作者就很容易在回忆中，唤起当日旧有的感情，跟着感情跑，或把现实歪曲了，或只把握了现实的半面，而误认为整个的趋势。……虽然跟着回忆，跟着感情写下去，也许这作品的感人的力量较为广泛。日本的某批评家说德永直的《没有太阳的街》，岛木健作的《狱》，所以能获得大多数读者，使作品更富通俗性，原因是在作品中有个“我”可以

看到。仿佛也就是这个意思。但我觉得这毕竟是一个自然主义的作者，不同于现实主义的作者的态度。第二，是观察的路子。便是一个作者，为了要发挥他主观的某一种主题，于是去搜集材料，仿佛考据家搜集例证似的，或在现实社会里，或在历史的古籍里搜集材料。这危险是不难明了的。那便是过分的强调了主观。在这里，主观的正确性，既有相商余地，而在其表出上，也必然露出所有人物或场面，是被拉到故事里来的痕迹。人物既非典型的活动，场面亦少有机的展开，所谓作品的形象性，将在这里失却了位置。这，我以为，同样是理想主义的作者不同于现实主义的作者的态度。……第三，是什么的路子呢？恕我说不出一个适当的名词，但作品的形成是这样的：作者在生活的实践中，从社会现象的底里，把握到它最本质的东西。这东西叫作者在生活中，时时会跟眼前的人物，事件，场面，作个显明的对比，因而引起了憎它、或爱它的正义感，叫作者抑遏不住的不得不拿起笔来抒写描画。有时，也许作者为了环境的关系，有意的把这最本质的东西，放在极不相称的形象里——如把精神胜利的士大夫精神，放在雇农的阿Q身上，用以侧面讽刺辛亥革命，在表面上是非常不相称的。但作者却以极高的艺术手腕，在精神胜利与农民性型的相同点上，将阿Q统一起来了。……（其实，果戈里的《外套》与《鼻子》，也有同样的作法——作者又注）——但一般的作者，总是把这最本质的东西，通过相称的形象，极有力量的表现出来。这条路，则是现实主义作者不同于自然主义与理想主义作者的。

这样来分作品的不同的产生过程，自然不免有点机械；而且正和哲学上的派别一样，不论如何的五花八门，总不出唯心论与唯物论的两大阵营。便是这上面所指的第一条路子，也还是主观的路子。自然主义是植根于哲学上的形而上学唯物论的。

鲁迅先生的创作方法，一般说来是取第三条路子。

是现实主义的创作方法。鲁迅先生的作品，差不多没有一篇不从憎与爱中迸裂出来的。

现实主义的作者，第一要避忌的，便是不写不熟悉的事物。但现实主义的创作方法不同于自然主义的创作方法者，便是前者写熟悉的事物，却不跟着熟悉的事物跑，取客观的态度，而是站在人类理想的高岗上予以适切的批判的。但这又不同于一般理想主义的创作方法，抹杀现实的历史的发展，将“人间”换作了“天上”。鲁迅先生对这一点有很好的意见。

曾经有两个青年写信给鲁迅先生，问小说的取材，怎样才有意义。“一个是专就其熟悉的小资产阶级的青年，把那些在现时代所显现和潜伏的一般的弱点，用讽刺的艺术手腕表示出来；一个是专就其熟悉的下层人物——现在时代大潮流冲击圈外的下层人物，把那些在生活重压下强烈求生的欲望的朦胧反抗的冲动，刻划在创作里面——不知这样的内容的作品，究竟对现时代，有没有配说得上有贡献的意义？”鲁迅先生对这二问题，答复如下：

“第一种，非同阶级是不能深知的，加以袭击，撕其面具，常比不熟悉此中情形者更加有力。如第二种，则生活状态，当随时代而变更，后来的作者，也许不及看见，随时记载下来，至少也可以作这一时代的记录。所以对于现在以及将来，还是都有意义的。不过即使‘熟悉’，却未必便是‘正确’，……然而两位都是向着前进的青年，又抱着对于时代有所助力和贡献的意志，那时也一定能逐渐克服自己的生活和意识，看出新路的。”

在这指示里，如其让我们公式一点的来说，现实主义的创作方法，必须注意如下的条件：

一、熟悉的材料。

二、正确的认识。

三、生活实践中看出新路（新的暗示）。

而主要则在于作者的生活实践。只有在实践中才能增加作者的创作的力量和改正创作的路向。所以，我们也可以说，创作产生的过程，也就是生活实践的过程。

## 二 典型的创造

在鲁迅先生的小说里，最主要的是人物的典型的创造。鲁迅先生的小说的产量并不多，但每一篇里每一个人物，没有不是活的。可是他是怎样创造他的人物呢？我们可先听听他自己的意见，再来考察他的作品。他有三四处地方，说到自己写作的动机和方法的。在《我怎么做起小说来》一文里，他说：

“所写的事迹，大抵有一点见过或听到过的缘由，但决不全用这事实，只是采取一端，加以改造，或生发开去，到足以几乎完全发表我的意思为止。人物的模特儿也一样，没有专用过一个人，往往嘴在浙江，脸在北京，衣服在山西，是一个拼凑起来的脚色。

“……忘记是谁说的了，总之是，要极省俭的画出一个人的特点，最好是画他的眼睛。我以为这话是极对的，倘若画了全副的头发，即使细得逼真，也毫无意思。我常在学学这一种方法，可惜学不好。”（《南腔北调集》，全集第五卷一〇九页）

又说：

“一、留心各样的事情，多看看，不看到一点就写。

“二、写不出的时候不写。

“三、模特儿不用一个一定的人，看得多了，凑合

起来的。”（《二心集 · 答北斗杂志社问》，全集四卷三五四页）

又说：

“阿 Q 的影像，在我心目中似乎确已有好几年了，但我一向毫无写他出来的意思，经这一提，忽然想起来了。……”（《阿 Q 正传的成因》，《华盖续集》，全集三六五页）

而在《阿 Q 正传》第一章中，有更明显的说明：

“我要给阿 Q 做正传，已经不止一两年了。但一面要做，一面又往往回想，这足见我不是个‘立言’的人，因为从来不朽之笔，须传不朽之人，于是人以文传，文以人传——究竟谁靠谁传，渐渐的不甚了然起来，而终于归结到传阿 Q，仿佛思想里有鬼似的。”（《呐喊》，全集三五九页）

在以上这些引征中，鲁迅先生对人物的创造的意见是：一、不以一个一定的人做模特儿；二、要看得多；三、要在心里活得有鬼似的；四、要抓住特点。这意见，是极对的。征之于鲁迅先生作品中的人物，可说全照这信条履行的。

我们考察鲁迅先生的小说，确实尽了最大的艺术的概括力。在他小说里的人物，肯定的不多，差不多全是否定的。这因为他企望——

“自己背着因袭的重担，肩住了黑暗的闸门。放他们到宽阔光明的地方去”——《坟》。

这因为他是个——

“是野兽的奶汁所喂养大的，是宗法社会的逆子，是绅士阶级的贰臣，而同时也是一些浪漫谛克的革命家的诤友！他从自己的道路回到了狼的怀抱”——何凝：《鲁迅杂感选集序言》。

但他的否定的人物，也有程度上的不同。一种是诞生于封建礼教的土地上，为他所极端憎恨的。一种是为情感所滋养，却为理智所否定的。一种是在自然的淘汰中看出他们没落了，也就不得不给予他们以真实的没落的姿态，然而却像慈母一般怀念着他们，有时也给予一些爱抚。

第一种人物的代表是阿 Q，我们必须认清：阿 Q 不仅是代表没落的农民的典型，（这样的说法，是机械的将马克思主义艺术理论来应用的，而且把马克思主义艺术理论单纯化了。）他实在是有最大普遍性的民族的典型；而这一典型正是生长在中国宗法社会里的。在阿Q这一典型的根底里，鲁迅先生给孳化了不少的其他典型。例如，孔乙己那是多少带有阿Q性的；但是属于阿Q这典型里“比较可爱”的一方面的。和孔乙己可作对照，同样也是阿Q性型里孳化出来的，那便是已经带有几分城市流氓气的高老夫子；还有《肥皂》里的四铭，和孔乙己、高老夫子都不同，但也有相同的地方；在他道貌岸然处，有和孔乙己相同；在他阴险虚伪处，则又有和高老夫子相同，自然，他多一分“谨严”，也就更多一分“阴暗”。这又与高老夫子的流氓气不同了。而四铭又与《弟兄》里的张沛君有共通之点。这一类典型的铸成，鲁迅先生确实没有选定一个固定的模特儿，而是从“一点意思”——也就是“一个观念”里孳化出来的。这观念是连系着鲁迅先生彼时反封建礼教的生活实践的。我们从鲁迅先生的思想发展过程中来考察，在初期——即在辛亥革命前后鲁迅先生是个个性解放的倡导者；而鲁迅先生的主张个性解放，是承受尼采的部分的哲学思想的。这思想又和他那感受于中国农村社会里潜存着的庄老的哲学，并在他旧学传统中对于庄老哲学的濡染因而养成的那爱自由的精神，相融合的。这一反礼教的基础，也就是中国要完成其资产阶级民主性革命的历史的基础；鲁迅先生就从这基础上出发，在他胸壑里滋养了一种德谟克拉西观念，用这观念去照映旧社会的人物，于是阿Q以下这一些典型都显现出来了。如其让我们来生造一个名词：这一种典型的创造，那是观念的形象化的手法。人物主要是代表一种观念形态的。

其次，为感情所滋养，却为理智所否定的人物，大都是些小资产阶级性的人物。在这些人物里，多少潜藏着鲁迅先生自己的影子，然而却是用极强的理智力予以否定了的。我们从各方面考察，鲁迅先生在辛亥革命前是参加过实际行动的。许寿裳先生编的《鲁迅年谱》里，也说他加入光复会。光复以后，他在绍兴做师范学校校长。他在故乡，正也是一个新派人物。然而，辛亥革命流产了，革命所带来的一切，全不如他所期望的，于是他感觉幻灭，消沉，想终老于抄古碑等等的朴学的工作中（见《呐喊》序）。这一悲观主义（但不是颓废）的色彩，是充满在鲁迅先生的精神中，直至一九二七年大革命为止。这在《两地书》里，表白得很为明显：

> 说起民元的事来，那时确是光明得多，当时我也在南京教育部，觉得将来很有希望。自然，那时恶劣分子固然也有，然而他总失败。一到二年二次革命失败之后，即渐渐坏下去，坏而又坏，遂成了现在的情形。其实这也不是新添的坏，乃是涂饰的新漆剥落已尽，于是旧相又显了出来。使奴才主持家政，那里会有好样子。最初的革命是排满，容易做到的，其次的改革，是要国民改革自己的坏根性，于是就不肯了。（全集第七卷四七页）

然而鲁迅先生决不把自己停留在这悲观的情调里，他希望将来；便是比现在好一点点的将来，他也希望；而且他相信将来是可以好一点点的；因为他相信进化。这就使他把“不平”代替了“悲观”，终于成为战士了（见《两地书》）。

但谁人能抹杀业已起来的悲观与愤激的感情呢？从

《呐喊》的《头发的故事》中的N君起，以至《彷徨》里《酒楼上》的的吕纬甫，《孤独者》的魏连殳，《伤逝》的涓生，全部充满着感伤的气氛。N君，吕纬甫，魏连殳——这三人是旧的小资产阶级意识、思想、感情的表白；涓生却是“五四”以后新的小资产阶级的思想、感情的表白。他们是同属于一个类型的。鲁迅先生把他们的愤激、不平、消沉、没落的姿态，非常感情的描绘出来，并不给予批判，却真实地留下了一个时代的影子。而同时，除N君外，他们的产生，却正是“五四”文化运动消沉下去，新绅士派抬起头来的时候，——民族资产阶级不愿彻底完成他的革命的任务，开始向封建势力帝国主义妥协投降，资产阶级的学者终于做了“老虎总长”的尾巴，这时候，鲁迅先生又看到了民元后的倒退情形了，于是他再也不能如在新青年时代主将只许呐喊不许悲观似的把他的悲愤遏止住了。这一类人物的出现，在《彷徨》里较《呐喊》里为多，也就是这个缘故。

是新的幻灭吗？不；这世上有过这样的新的幻灭，但五卅展开了血旗，大时代又在我们的面前展开，鲁迅先生拿着匕首赶上去。从《孤独》、《伤逝》而终于跃入杂感的阵地。

但从鲁迅先生对于这些人物典型的创造方面来考察，这是属于“感情的融铸”的一类的。这里有略略近于自然主义的作品的产生的过程。但鲁迅先生的客观的现实主义的手法，却没有把读者带到这些人物的灵魂里去，虽然是感动了，然而分明看出他没落的影子。

再次，是朴实的一群。在其根底上，这些人是可爱的。但客观上，他们是时代的俘虏。然而一到时代环境改变得好一点的时候，他们却可能成为有力的战士。鲁迅先生没有看到过大城市，如上海的英勇的劳动群众，他所接触的却是那些秉性上得天独厚的农民，和若干农村里出来的青年。这一类的典型里，有闰土，爱姑，祥林嫂。闰土是农民的坚韧性格的代表，爱姑是农民倔强性格的代表，祥林嫂却是个被压迫狂的人物的典型了。把这典型的本质开展开来，在智识分子里，就有幸福的家庭里的“他”——一个坚毅不拔的青年，在端午节里的方玄绰——一个不懂世故的纯正的学者。这里不是完全的否定的人物，但有他们应该被否定的特质。那就是鲁迅先生所常常指示的跟恶劣环境搏斗的精神，他们全没有。他们是环境下的牺牲品。这些人物，鲁迅先生大概是实见过的人物的扩大或缩小，是用一种素朴的综合力，给形象化起来的。鲁迅先生的《朝花夕拾》里有一个女性——长妈妈，这是一个给鲁迅先生有非常影响的女佣人，而闰土，爱姑，祥林嫂以至《幸福的家庭》里的“他”，方玄绰，一样流过了长妈妈的灵魂。这是中国农村社会最朴质的共有的优秀的性格，在这里维系着鲁迅先生将来的希望；在这里也有使鲁迅先生终于站到人民大众的利益上来奋斗的力量；这是中国将来应该被发挥出来的民族“魄力”（Energy）！鲁迅先生在创造这些典型的时候，是如实地表现着的。而且像闰土这一人物，还是确有其人的。《朝花夕拾》里有《从百草园到三味书屋》一篇，中有一节云：

这是闰土的父亲所传授的方法，我却不大能用。明明见他们进去了，拉了绳，跑去一看，却什么都没有，费了半天的力，捉住不过三四只。闰土的父亲是小半天便能捕获几十只，装在叉袋里叫着撞着的。

所以这一类的典型人物，可以说，鲁迅先生是大半实见过的。

鲁迅先生创造典型的人物，大概是有如上的三种，同样又有各种不同的表现方法。那便是其一，从实社会的一大群的人物里，看出了某种共同的特质，形成了一个“观念”，再把这“观念”放到某种一定的形象里去，而这形象未必就同于原先人物的形象了，这便是观念的形象化的作法。这一类作品的风格，是讽刺的居多。其二，是从自己的感情里喷射出来，却又被理性所否定了的人物——这是感情的融铸的作法，这一类文章的风格是抒情的调子居多，有的则取客观表现法。其三，便是朴素的将实有人物予以扩大或缩小的方法。——是一种素朴的综合。这一类文章的风格，大多带有些诗的喜剧的意味。

鲁迅先生在小说里所表现的虽然差不多都是否定的人物，这和杂文中所提示的一贯的斗争的精神，并没有不同之处。因为他用意是在于揭露黑暗。鲁迅先生没有写积极的肯定的典型，那因为在他生活里，还没有看到过这样的人。但表现斗争精神的小说，也不是绝对没有，

《故事新编》的《铸剑》，主人公眉间尺，就是"至死不变"的斗士的英姿。鲁迅先生在实社会里没有找到这种人物，但从故事眉间尺中看出了伟大，于是把他的战斗精神全盘放下在眉间尺身上，给表现出来。我们只要看下面的一节文章是如何叫人兴奋啊。

仇人相见，本来格外眼明，况且是相逢狭路。王头刚到水面，眉间尺的头便迎上来，狠命在他耳轮上咬了一口。鼎水即刻沸涌，澎湃有声；两头即在水中死战。……

黑色人也仿佛有些惊慌，但是面不改色。他从从容容地伸开那捏着看不见青剑的臂膊，如一段枯枝；伸长颈子，如在细看鼎底。臂膊忽然一弯，青剑便蓦地从他后面劈下，剑到头落，坠入鼎中，砰的一声，雪白的水花向着空中同时四射。

他的头一入水，即刻直奔王头，一口咬住了王的鼻子，几乎要咬下来。王忍不住叫一声"阿唷"，将嘴一张，眉间尺的头就乘机挣脱了，一转脸将王的下巴下死劲咬住。他们不但都不放，还用全力上下一撕，撕得王头再也合不上嘴。……（全集二卷,《故事新编》，五五五页）

鲁迅先生在《两地书》里曾经说到遇到歧路碰上老虎不得不被吃掉的时候还是要咬他一口的话，这和这里所表现的精神是一贯的。鲁迅先生的《故事新编》，那是不同于一般的历史小说，遵守历史的事实；主要是作为传达自己思想感情的工具的。在这里，我们又可以看出鲁迅先生想像的丰富。

## 三　环境的描写

一般说来，鲁迅先生所处理的小说的题材，很少有动乱的场面。从题材上说,《阿Q正传》涉及于辛亥革命的,《怀旧》也是叙辛亥革命的。这在有些作者，也许会把这些场面，正面的写出来。高尔基的《母亲》，和《四十年》的第三部，都有直接的正面的动乱的场面的描写。在这一点上，鲁迅先生的现实主义和高尔基的有不同的地方。鲁迅先生是静的现实主义的作者，高尔基则是比较属于动的现实主义的。在小说创造的成就上，鲁迅先生没有超过高尔基，这是事实。但各人的社会环境不同，出身的阶级不同，也就决定两大作家的创作方法上的若干差异。高尔基生活在流浪汉，盗窃，卖淫女……种种的下层人物之间。他看到这些人直接参加生活斗争的实际状况，所以他无论写马尔华，写拆尔卡士，都是正面的直接的动的描写。之后他参加《革命》行动；革命的领袖，劳苦大众以及知识分子，他也一一接触过，在《母亲》中罢工的斗争的场面，在《四十年》的第三部十月革命市街战的场面，他都以极有力的笔触给描绘出来的。鲁迅先生生长在自然经济支配着中国的农村社会中，而又是绅士阶级的子弟，他对农民的纯朴的性情有热烈的爱好，对于封建的黑暗势力，有猛烈的厌恶；他所写的小说，多少是用观照的态度，冷静的予以侧面的分析的手法。同时他从没有企图过用高尔基那样巨幅的篇制，所以他也就不得不用压缩的方法，将巨大的事变，从一点上给他照映出来。《怀旧》这一篇小说，可说是将中国一般人民，自农民以至绅士阶级，对于辛亥革命的根本观点与态度，用孩子的纯真的眼睛，给侧面的照映出来了。这样经济的手法，是极可取的，短短的一篇也可当得有些的长篇巨制。

典型的人物的创造，尤须注意典型的环境，而典型的环境的描写，还得注意到“细头节目”。高尔基描写一个典型人物时，对于环境的描写是非常注意的。他仿佛采取“迂回包抄”的战略，一步一步的逼紧，于是突然擒住了“人物”——把人物的性格明朗化了。鲁迅先生对于环境的描写，正和他对人物的描写注意于“点睛”一样，不主张大大渲染的。

鲁迅先生曾在一篇文章里说过：

> ……我力避行文的唠叨，只要觉得够将意思传给别人了，就宁可什么陪衬拖带也没有。中国旧戏上，没有背景，新年卖给孩子看的花纸上，只有主要的几个人（但现在的花纸却多有背景了），我深深对于我的目的，这方法是适宜的，所以我不去描写风月，对话也决不说一大篇。

这就是鲁迅先生对于环境描写的意见。

但这是不是说，鲁迅先生就不选择典型的环境了呢？不，鲁迅先生是以最简炼的笔法，画出这典型的环境的。要画出像爱姑那样的倔强的农民性格，他就在一开头衬托出乡镇的生活情调——那航船上的一节的描写。一个没落的小资产阶级的吕纬甫的影子，他把他放在古城的一家酒楼上而出现；涓生的伤逝，是在公寓生活中；阿Q、孔乙己的环境是在咸亨酒店、茶楼以及为淡淡的风日所吹晒的乡镇上。《幸福的家庭》的主人，却是在生活的吵闹声绞尽脑汁，这些环境的描写，都与人物作有机的联系，使作品成为浑然匀整的整个的东西；没有脱节，偏轻偏重，甚至于松散的情形。

一般的作者，对于环境的描写有两种手法。一种是把环境如实地描写出来，同时，表面上不强求和人物的配合。那就是说，环境不是人物的眼里所看出来的环境，但这一环境与人物有必然的关联性，不过是隐藏的。另一种便是一切环境的变动迁移，却是人物的行动的空间与心理的反映，是在某种程度上作为人物的陪衬而写出的。在这一点上说，则前者是属于静的现实主义的手法，后则是属于动的现实主义的手法的。鲁迅先生对于环境的描写，显然是比较采取后一方法的。但他又不同于有些作者，走到另一极端，把环境全看作是变动的，而没有它的固定性；这一来，使环境不是一个客观的存在而仅仅是人物的心理的反映；于是环境没有了，人物不在固定的空间上出现了。“我的朋友”张天翼先生的小说，有人批评他太忽视了环境的描写，一方面使作品成为故事的演述，另一方面削弱了人物的社会客观性，这就是他爱用跳蹦的笔调，爱用人物的心理来反映环境的缘故。同时，茅盾先生的小说对于作品的场面的描写是非常注意的，但有人批评他太过细腻了，有如日本的批评家，批评高尔基的表现方法，有点近乎自然主义，是叫人感到沉闷的。然而茅盾先生的《水藻行》那样雕刻一般的塑铸人物与环境，却是非常成功的。

鲁迅先生对于环境描写，既把它作为人物行动的空间，也把它作为人物的心理的反映，很巧妙地——用术语说吧，则是很辩证地结合着。我们随便把《高老夫子》这一篇举来作个例吧。

这小说是写一个“时新老八股”的可笑的情形和心

理的。是充满着反封建礼教的精神和对新绅士的讥刺的。

高老夫子一跑到贤良女校，即将新印的名片交给一个驼背的老门房。不一忽，就听到一声“请”，他于是跟着驼背走转了两个弯已到教员预备室了也算是客厅……

……他们（另一是教务长——作者注）于是坐下；一个似死非死的校役便端上两杯白开水来。高老夫子看看对面的挂钟，还只两点四十分，和他的手表要差半点。

……

“哦哦”，尔础忽然看见他举手一指，这才从乱想中惊觉，依着指头看去，窗外一片小空地，地上有四五株树，正对面是三间小平房。

“这就是讲堂。”瑶圃并不移动他的手指，但是说。

……

尔础忽然跳了起来，他听到铃声了。

“不不。请坐！那是退班铃。”

……

校役又……送上两杯白开水；但是铃声又响了。

“瑶圃便请尔础喝了两口白开水，这才慢慢地站起来，引导他穿过植物园，走进讲堂去。

他心头跳着，笔挺地站在讲台旁边，只看见半屋子都是蓬蓬松松的头发。瑶圃从大襟袋里掏出一张信笺，展开之后，一面看，一面对学生说道——

……

他不禁向讲台下一看，情形和原先已经很不同：半屋子都是眼睛，还有许多小巧的等边三角形，三角形中都生着两个鼻孔，这些连成一气，宛然是流动而深邃的海，闪烁地汪洋地正冲着他的眼光。但当他瞥见时，却又骤然一闪，变了半屋子蓬蓬松松的头发了。

他也连忙收回眼光，再不敢离开教科书，不得已时，就抬起眼来看看屋顶。屋顶是白而转黄的洋灰，中央还起了一道正圆形的棱线；

可是这圆圈又生动了，忽然扩大，忽然收小，使他的眼睛有些昏花。他预料倘将眼光下移，就不免又要遇见可怕的眼睛和鼻孔联合的海，只好再回到书本上，这时已经是“淝水之战”，符坚快要骇得“草木皆兵”了。

……

他似乎听到背后有许多人笑，又仿佛看见这笑声就从那深邃的鼻孔的海里出来。他便惘惘然跨进植物园，向着对面的教员预备室大踏步走。

他大吃一惊，至于连《中国历史教科书》，也失落在地上了，因为脑壳上突然遭了什么东西的一击。他倒退两步，定睛看时，一枝夭斜的树枝在他面前，已被他的头撞得树叶都微微发抖。他赶紧弯下腰去拾书本，书旁边还竖一块木牌，上面写道——

桑

桑科

……

从上面摘引的描写环境方面，鲁迅先生是把环境很好的反映在人物心理，安排在人物的行动上。前后紧紧的关联着。他不先把那“教员预备室”、“教室”、“植物园”的位置如何如何，来一大段的机械的描写。他只把这些地位和情形，在人物的行动中展开来，而使读者已能想象那一种地位和情形了。但这还是对表现的方法方面来说的。而环境与人物的情调的配合方面，鲁迅先生却是更为注意的。这，我们在上面已经约略指出了。

但鲁迅先生对环境的描写，不仅如中国水墨画似的，近乎“写意”，同样也有西洋画似的全面的烘托。《示众》，《不周山》（后改名《补天》），便是很好的例。至于像《风波》里的第一节，不到三百字，就把乡村的气息，全盘烘托出来的，那确是尽了艺术的最大的概括的力量。

临河的土场上，太阳渐渐的收了他通黄的光线了。场边靠河的乌桕树叶，干巴巴的才喘过气来，几个花脚蚊子在下面哼着飞舞。面河的农家的烟突里，逐渐灭了炊烟，女人孩子们都在自己门口的土场上泼些水，放下小桌子和矮凳，人知道，这已经是晚饭时候了。

这是如何简明的一幅图画。环境的描写在鲁迅先生的作品里，同样占着很重要的地位的。虽然他企图写“没有背景的年画”，但正如他所选印的版画，却很着重于背景的衬染。

## 四　关于文字技巧方面的余话

鲁迅先生对于文字技巧是非常注意的。记得徐懋庸先生说过，他那乡里有位老先生，说鲁迅的文章，非常注意音节的和谐与铿锵。他曾把这意见征询过鲁迅先生，鲁迅先生也承认是的确的。有一位批评家，大概是苏雪林女士吧（？）说鲁迅先生是一位 Stylist，鲁迅先生也承认有部分的理由。他说：

我做完之后，总要看两遍，自己觉得拗口的，就增删几个字，一定要它读得顺口；没有

> 相宜的白话，宁可引古语，希望总有人会懂，只有自己懂得或连自己也不懂的生造出来的字句，是不大用的。这一节，许多批评家之中，只有一个人看出来了，但他称我为Stylist。

“看出来了”是对的，但把鲁迅先生仅看为Stylist，却是这批评家要抹杀鲁迅先生的精神的一种手法，鲁迅先生是感到不快的。

鲁迅先生的文章，最值得注意的一点，是注意语气的自然。关于文章的风格方面说，从“五四”到现在就有两种倾向。一种是力求简炼，有时尽不妨损害了文章的语气的自然，成为一种半文不白的文章；那在初期作家里，可以用冰心作代表。冰心的文章，在我看来，受了林译小说的很大的影响，写景写情，常常用四五字一句的简短的语词，这不但把真实的意象，不能适切的传达出来，而且有时连文法也不通了。曹聚仁先生曾经把她的文章分析过，指出很多不通的地方。从这一派衍承下来，沈从文先生和芦焚先生的若干文章，也极注意于简炼的风格，沈从文先生有许多处，连必要的“的”字也给删去了。有时，读起来反而觉得拗口。听惯了，也有些像道士的“念念有词”的音调。而这一派文章风格的另一方面的发展，成为过多的形容词与副词的堆积；仿佛读到“新文选”似的。而所有形容词副词，又全从古书里摘下来的，文章全失却自然之致。和这倾向不同的，便是大众语运动的前后那方言土语的无限制的应用。但应用得较好的，却是老舍和张天翼两位先生。（有人以为穆时英也能写北京话，这是骗骗南方人的冒牌货，有些是从《红楼梦》上偷来的语调。他什么地方都摆上一个“儿”字和“啦”字，竟把全篇文章成为“儿儿啦啦”了。）可是流弊也有：“生造”是一，叫人读了不懂是二。从大体上，我是主张文章里应该多用方言和土语的，因为这是增加文章的活气的。活语汇不能从《庄子》和《文选》上去找，应该从活的人的口头上去找。但人的口头上的语言，不一定全都是好的，不能代表一个意象的语言，或意义不正确的语言，也还是有的。举例来说：“吹牛皮”这一语词，在南方人，大致有“胡说八道”的意思，但住在上海的北方朋友，却把它解释作为“闲谈”的意思了。“别”字，在北方是有“不要”

的意思，但也可解作“另一种”，或“离别”，那还不如“不要”来的明确。文章和语言，是应该一致的，但也有分别的：文章是有组织的语言，语言是无组织的文章。要把语言搬到文章上来应用，要注意它的普遍性（不是绝对的，而是相对的）和条理。而文章的条理，却又必须以语气的自然为依归，也就是所谓顺口。鲁迅先生的文章就是这样创造的。这和太多应用土语方言是不同的。

其次，鲁迅先生的文章，很受古文的影响；这不是说在他的文章里有时引用古语，而是他那文章的风格，古朴，简劲，不事华饰，有从古文脱胎出来的痕迹。我们知道鲁迅先生的古文，本来也做得很好，《域外小说》的译文和《怀旧》的古文的小说，文章的朴茂，正和他白话一样。但他对于古文的运用，也力求语言的自然。《怀旧》中的对话，虽用文言写出，但非常适合语气，这是古文的一大解放；在白话里，鲁迅先生所要求的是“读得顺口”，但接受了古文的简劲等等的风格。我们试读鲁迅先生所选的《唐宋传奇》，和鲁迅先生的创作小说，终觉得其间的风格有一脉相通之处。

但第三，鲁迅先生对于中国的文章语言的组织法，总觉得太过简单，他还主张欧化，使中国语文，能更繁复一些，能表现更深刻的意思。在《艺术论》等等的关于理论的译文里，他的文章的组织，固然显得非常复杂，就是作品的译文，只要看果戈理的《死魂灵》与有岛武郎的《与幼小者》，那文章的组织与情调，也有显然不同。在翻译方面讲，这是译者能保存各个作品的真实风格，但在文章方面讲，确也使人感到"多样"的表现方法的可爱。至于鲁迅先生自己写的文章里虽然主张欧化，却又使欧化得合语言的自然。例如：

"所以我们的第一要着，是在改变他们的精神，而善于改变精神的是，我那时以为，当然要推文艺，于是想提倡文艺运动了。"

在这里加圈的那些句子，语句的组织，显然是欧化的。"文艺"这一名词，兼做了"是"和"要推"两个动字的"宾词"，这样句法的构造，是中国文章里所少见的，或者可说是没有的，但这里我们念下去一点也不觉得欧化，拗口；反而觉得文章非常的生动，因为这毕竟在中国口头语上，还是有这样表现法的。鲁迅先生的文章的风格，都是以口头语言为本位，采取西洋语法，古文语法的优长而融化起来的。

还有一点值得一提的。照中国人的口语的习惯，一个词儿，比较是双音节的多。虎，不单说“虎”，叫“老虎”，北方叫“大虫”。“狗”，我乡总称“黄狗”，北方则加个“子”字。形容词“的”字，是作为语尾用的，发音时，声音总较低。“蓝的”，口头上总是“蓝蓝的”，或“蔚蓝的”，我乡为加重其语气，常常用“透蓝的”，“碧绿的”，“焦黄的”或“发黄的”。这里仍旧是双音节。“的”字只作为“收音”或“转音”之用。如“碧绿的小草”，这“的”字，主要是作为“转音”用的。“这些小草是碧绿的”，这“的”便成为收音之用：所以大体上中国口语是双音节的词儿较多。中国文章里连绵词，成为文章“朗朗上口”很要紧的因素，也就因为连绵词的双音节，更适合于语言的自然。鲁迅先生的文章的音节的铿锵，一半是很注意这一语言的自然的趋势。这也是值得我们研习的。但为调整音节，将意义全盘割裂，那又为鲁迅先生所不取了。《估学衡》一文中鲁迅先生有一段云：

《中国提倡社会主义之商榷》中说：“凡理

想学说之发生，皆有其历史上之背映。决非悬空虚造。乌托之邦，作无病之呻也。”查“英吉之利”的摩耳，并未做Pia of uto，虽曰之乎者也，欲罢不能，但别寻古典，也非难事，又何必当中加楦呢。于古未闻“睹史之陀”，在今不见“宁古之塔”，奇句如此，真可谓“有病之呻”了。

《国学摭谭》中说：“虽三皇廖廓而无极。五帝搢绅先生难言之。”人而能“廖廓”，已属奇闻，而第二句尤为费解，不知是三皇之事，五帝和搢绅先生皆难言之，抑是五帝之事，搢绅先生也难言之呢？推度情理，当从后说，然而太史公所谓“搢绅先生难言之”者，乃指“五家言黄帝”，而并不指五帝，所以翻开史记，便是赫然的一篇《五帝本纪》，又何尝“难言之”。难道太史公在汉朝，竟应该算是下等社会中人么？……

像这样的生造句法，歪曲意义，以求音调铿锵，那又为鲁迅先生所不取的。“读得顺口”，确也是调整文章音节最好的办法。但决不能生造。

总之文字技巧虽然是小道，但作品的意象，全凭文字来传达的。对于文章的修养，也是一个作家所必不可少的初步工夫。我们不必到《庄子》和《文选》里去寻语汇，但我们在日常生活中练习语言的表现方法外，也须揣摩新旧小说中的语句的构造和表现方法，使“毋以词害意”，实在是必要的。这在我们学习鲁迅时，也是可注意的一点。

## 美报对鲁迅的评价

美报纽约《泰晤士报》曾载 Younghill Kang 所作《论中国文学》一文，纵谈现代中国短篇小说的过去和现在，末段是对于鲁迅的评价。原文谓：“在现代中国作家中，最伟大的一个小说作家，要算鲁迅——中国前进文坛的导师。他是现代中国最杰出的、最富于创造性的作家。十多年间，他独个儿的走他的道路，很远地越过了他的同行者。”中间又谈到鲁迅的生活过程和他所受的作家影响，认为鲁迅在技巧上最接近契诃夫，但是鲁迅是更勇猛的作家。他同情于农民，比对布尔乔亚汜的知识分子较为重视得多。该文又指出鲁迅对于道德问题，比契诃夫更重视；同时他的道德观，常常带着社会的阴影。（容）

# 鲁迅与尼采

洛蚀文

鲁迅与尼采的关系和存在于他们之间的各种问题，已经成为研究鲁迅思想体系的发展的重要问题。目前这问题正在几种不同的意见上被解决着。

有人把尼采主义和鲁迅的初期思想放到平行的地位，他们认为初期的鲁迅以尼采的思想为血肉。

但是另一部分的人却提出了与这不同的意见，他们以为，鲁迅只受到尼采的一部分影响，这是因为在“五四”启蒙运动时期，中国的工农大众还没有成为社会政治舞台的主角，当时还没有正确的集团主义和科学的社会主义输入到东方来，使鲁迅不得不拿尼采学说作为斗争的工具。其实鲁迅的初期思想和尼采主义在本质上是不同的，因此不能把他们放在平行的地位。

唐弢先生是代表这两种见解的前一种意见，他在《鲁迅风》创刊号上，关于鲁迅的杂文里这样写道：

我想鲁迅是由嵇康的愤世，尼采的超人，配合着进化论，进而至于阶级的革命论的。

同时，巴人先生显然也赞成这种见解——虽然他与唐弢先生有许多意见不同。他在《鲁迅与高尔基》一文中引用了鲁迅在《文化偏至论》的一段话后，更进一步的说：

这些表白，无疑与尼采思想有血缘的。

又说：

初期的鲁迅是以尼采思想为血肉。

上面这些意见都是把初期的鲁迅和尼采放在平行的地位，同时更认为尼采对于鲁迅的思想起了绝大的作用。

至于前面的第二种意见，只有秋白先生和最近发表在《公论》上的《鲁·座》纪录里有一部分的说明。但是要分辨鲁迅与尼采之间关系的具体情形，简略的解释是不够的。一个作家的构成思想是以他本阶级的意识形态作基础，而整个思想体系里，世界观起了决定的作用。鲁迅在他的世界观里是不是吸取了尼采主义？和他们之间的关系到底是怎样的？这是这篇文章所要讨论的中心。

## 一

在研究一般思想问题之前，我们首先应该分析鲁迅与尼采的阶级意识。

初期的鲁迅是一个激进的民主主义者，他正代表当时向上发展的市民阶层的意识形态。许多人认为鲁迅这种启蒙运动思想是在他走到文艺的路上来的时候才形成的，其实鲁迅在从事文艺活动之前就已经具备了这种意志，他说他去日本学医乃是因为：

“我确知道了新的医学对于日本维新有很大的助力。”

在《呐喊》的序言里，鲁迅曾经记述当时的志向：

> 我的梦很美满，预备卒业回来，救治像我父亲似的被误的病人的疾苦，战争时候便去当军医，一面又促进了国人对于维新的信仰。

鲁迅在当时把医学当做维新的一种方法，这正反映出市民阶层对于科学的憧憬和启蒙的要求。

鲁迅学医的时代，在中国启蒙运动史上正遗留下了两页辉煌的史迹，这就是新政派的洋务运动和戊戌维新运动这两次启蒙运动。虽然不幸都流产了，然而却给后世留下了光辉的教训，这对于鲁迅初期思想的构成起着绝大的影响。

洋务运动失败的社会根源，主要是因为当时中国的农村经济虽然已经动摇，但是乡村公社还没有破坏，资本主义的成份极少，机器工业没有发展的基础，因此资本主义的新思想没有建立的依据。新政派的变法完全是受到帝国主义渐渐侵入的刺激，因此这次启蒙运动的动因不是内在的而是外来的，这种被动的变法是异常的先天不足的。

从李鸿章的《乙亥奏折》中可以明显的看到当时启蒙运动的要求，他说：

> 外患之乘变幻如此，而犹欲以成法制之，譬如医者疗伤，不问何病，概投之以古方，诚未见有效也。……易曰：穷则变，变则通；盖不变不通，则战守皆不足恃，而和亦不可久也。

这很清楚的把“变法非好变也，时势使之也”的“变”的概念讲出来了。基于这种不彻底的改良主义的思想，自然不敢挺身出来反抗几千年的宗法制度。当时要求变法的健将如：李鸿章，张之洞等在哲学的根底上都是二元论。他们所了解的变法只是枪炮实业，富国强兵。但是怎样才能富国强兵呢？他们一致认为只有变“器”，而不能变“道”。王韬在《变法》书中解释不变的“道”说：

> 夫孔子之道，人道也。人类不尽，其道不变。三纲五伦，人生之初已具，能尽乎人之分所当为，乃可无憾。圣贤之学，胥自此基。

他们不但认为“道”不可变，同时更要人以“道”为骨干来学习外来的“器”。张之洞指出强学会的目的是“上以广先圣孔子之教，下以成国家有用之才”。同时李鸿章在《携带幼童出洋并应办事宜疏》中，说得更为露骨：

> 挑选幼童，不分满汉子弟……将来出洋后，肄习西学，仍兼讲中学。课以《孝经》、小学、《五经》及《国朝律例》等书。随资高下，循序渐进。每遇房虚昂星等日，正副委员传集各童，宣讲圣谕广训，以示尊君亲上之义。

在变法上把“道”和“器”对立起来，这正是十足的二元论。“道”不变，“器”自然也不会变，“富国强兵”的幻想也跟着打消了。洋务运动之必然走向失败的路上去，只要看这运动的二元论的改良主义的本质就可以知道的。鲁迅在《坟》里说："其实中国自所谓维新以来，何尝真有科学。"这就是指出想不变"道"而变"器"是不可能的。

紧接着洋务运动的维新运动，它的方法在本质上也是"中体西用"的二元论，另方面它同样缺少了广大的群众基础，所以仍是"由上而下"的启蒙运动。代表这一运动的主要人物就是康有为和梁启超。康梁虽然对于旧学增加了怀疑的态度，但他们并不想推翻旧道德，只想用合理的解释来加强孔教的信仰。我们看下面这段话就会明白康梁对于旧学的态度了：

> 方今之病，在默守旧法而不知变。……《大学》言日新又新，《孟子》称新之国，《论语》为子毋改父道，不过三年；然则三年之后必改可知。

康有为的这段话想要从旧学中去找"变法"的根据，我们可以看出他毫没有否定旧学的企图。在他著的《新学伪经考》和《孔子改制考》这两部书里，虽然是充满了疑古精神，但只是企图给旧学以合理的解释，康梁毕竟是二元论者。洋务运动和维新运动并不是否定封建主义的启蒙运动，他们根本不曾想到政治的改革，而“变法”也不过是想采取西方的科学来医治中国将要灭亡的专制主义而已。

二元论者对于旧学的妥协的态度，始终不能完成中国思想解放的任务。这给了鲁迅一个很大的刺激，同时也愈发坚定了他反封建的基本思想。鲁迅在一开始就抱着扫荡礼教的姿态出现，是和这有着密切关系的。

鲁迅嘲笑“中学为体西学为用”的维新运动，他认为“康有为借重皇帝的虚名”是中国一贯的中庸态度，这和“不薄今人爱古人”的思想同样是可笑的。

继维新运动后的辛亥革命依旧没有解决反封建的任务。从鲁迅的《阿Q正传》里可以反映出当时的情形：

> 据传来的消息，知道革命党虽然进了城，倒还没有什么大异样。知县大老爷还是原官，不过改称了什么，而且举人老爷也做了什么

官，带兵的也还是先前的老把总。

这是辛亥革命同封建势力勾结的一般情形。革命的不彻底，使得鲁迅又经历了一次血的教训。鲁迅反封建的思想是从无数次这种惨痛的经验中生长起来的。鲁迅在《热风》里曾经批判与封建制度妥协的维新运动，他说得非常正确：

> 维新以后，中国富强了，用这学来的新，打出外来的新，关上门，再来守旧。
>
> 可是维新单是皮毛，关门也不过一梦。……要新本领旧思想的新人物，驮了旧本领旧思想的旧人物，请他发挥多年经验的老本领。一言一蔽之：前几年谓之“中学为体西学为用”，这几年谓之“因时制宜，折衷至当”。

鲁迅指出这些改良主义者的目的，还是在守旧，搬来新的不过是要“打出外来的新”而已，但结果“维新”和“关门”不过只是一“梦”。鲁迅从这些教训里认出了“中国的旧道德与新道德恰恰相反”，因此他大声疾呼道：“旧偶像愈摧破，人类便愈进步。”当鲁迅一出现在我们面前的时候，他并不是与封建主义妥协的二元论者，同时他更知道了，单单改良皮毛不过只是白白牺牲而已。仅是这一点就在鲁迅和他的先辈之间划出了一道鸿沟。

鲁迅的“变”的概念，在当时具备着十分进步的见解，他首先指出变决不是和平的转化，而是“光明和黑暗作彻底的战斗”，这种矛盾斗争的发展结果就是进化：

> 进化的途中总须新陈代谢，所以新的就应该欢天喜地的向前走去，这便是壮，旧的也应该欢天喜地的走去，这便是死；各各如此走去便是进化的路。

在进化的路上有盛有衰，有生有死，这种新和旧的关系就是新陈代谢。新的应该不断的生长起来，旧的应该不断的死亡下去。他认为：“个体既然免不了死亡，进化又毫无止境。”他把进化当做无始无终的向上运动的过程。但是“复古”家们偏偏要拉住应该死去的旧道德来阻挠新生力量的滋长，鲁迅对这感到很大的憎恶，他问道：“但我们也就都像古人一样，永久满足于‘古已有之’的时代么？都像复古家一样，不满于现在就神往于三百年前的太平盛世吗？”他从事实指出时代不会倒转，同时更用历史的眼光来证明国粹不能救中国的原因。

鲁迅所关怀的是“现在”，他说：

> 明明是现代的人，吸着现代的空气，却偏要勒派朽腐的名教，僵死的语言，侮蔑尽现在，这都是“现在的屠杀者”。杀了“现在”也便杀了“将来”。

这是多么现实主义的精神啊！鲁迅不但用“现在”否定“过去”，同时他更在“现在”中找出将来的关系。这是他一贯动的唯物观点。固然，在当时鲁迅还没有自觉的走到辩证唯物论上来，然而他在实践当中找出了这个真理。关于这点，巴人先生的分析十分正确：

他们（指鲁迅与高尔基——文注）之成为马克斯主义者，与其说是由于理论的学习成功的，毋宁说是由于现实的实践，把握了历史的发展法则而成为马克斯主义者。

鲁迅成为阶级的革命论者，完全是被决定这种现实主义的精神。由于这种精神，才使得他在战友的转变和投降中屹立不动。

在“五四”运动中鲁迅也显得与陈独秀、胡适之等二元论者不同。胡适之所信奉的是“实验主义”，他的中心思想和杜威的“哲学基本概念”一样，即：“知识思想是人生应付环境的工具。”他们相信，对人适用的才是真理，不适用的就不是真理了，同时一切真理都是假设。但我们看来并不是每个阶级适用的都是真理，反动阶级的认识的主观性和真理的客观性是矛盾的。因此说凡适用的即真理，这就是把认识上的阶级作用取消了。鲁迅在一九一九年就已经讥笑这种实验主义，他说：

……这与讲“实用主义”的人，因为市上

有假洋钱，便要在学校里遍教学生看假洋钱的法子之类，同一错误。

鲁迅在同一段话里特别指出“实用主义”最容易走到“顺应环境”的路上去。“五四”后，胡适之不是连“一点一滴的改造”这样脆弱的企图都放弃了么？

鲁迅经过了“五四”启蒙运动的失败后，并没有灰心，他还找寻他的道路。他说：“我不知那一条好，至今也还在寻求。”固然，鲁迅代表当时向上发展的市民阶层的意识形态，但另方面，他是由于他的进步的现实主义的精神，才可能使他后来成为一个阶级革命论者。这也就是鲁迅与当时其他启蒙运动者在本质上不同的地方。

基于这点我们可以看出鲁迅精神与尼采主义是代表两种不同的阶级的意识形态的。

尼采出现的年代是：一八四四年（生）——一九〇〇年（死），当时德国资本主义正有着飞跃的发展。但是尼采不能代表向上的阶级，相反的，尼采正是反动的贵族阶级的代言人。

四十年代的德意志，工业资产阶级正随着大企业的发达逐渐形成起来。当时的大工业约有七万八千所，在其中工作的劳动者，有五十万人以上。但是资产阶级的发展随处都受到封建势力的阻难，成为产业急速发展的最大障碍的就是德意志的不统一，在革命前德意志分划成三十六个小国，而每个国家的法度又不同，这妨害了资本家对于劳动力的要求，因此统一德意志的政治和经济的结构，成为德国资本主义发展的主要条件。

德意志的统一可能沿着两条不同的路：一条是大德意志共和国的路，另一条就是普鲁士君主制的路。但是由于德国资产阶级的“胆怯而私通”和工业发达还不够强大的原故，使得第二条路终于得到了最后的胜利。因此贵族的特权以及中世纪和其他许多反动势力都仍旧保存在德国的社会里面。当时，马克斯在新《莱茵报》上对于一八四八年德国的革命曾经给过光辉的分析，他特别指出“‘聋哑盲瞽昏庸老朽的’德意志资产阶级的革命的毫无能力”。造成德国资产阶级的反动的原因，是由于无产阶级的迅速的发展，所以他们情愿放弃了“自由”而选中了“冠冕”制度。普法战争后，德意志内部已经统一，产业发达的速度也因之骤增，但是伴着资产阶级的昂奋，无产阶级也抬起头来了。

马·恩在一篇著名的文献里写道：

> 德国……具备着比十七世纪的英国和十八世纪的法国更发展得多的无产阶级去完成这个革命。因此德国资产阶级革命只能是无产阶级革命的序幕。

德国的资产阶级在这种情况下去和封建地主结成统一战线来压迫逐渐强大的无产阶级，是一点也不足怪的。

尼采正出现在德意志资本主义的发展时期，这种普鲁士型资本主义的发展结果产生了尼采哲学的社会根据。勃伦蒂涅尔认为尼采并不代表小资产阶级，同时也不能代表金融资本家或虚无主义者。他说尼采是代表“对抗增大着的普罗列塔利亚运动的地主阶级及德国布尔乔亚中之最反动的部分的意识形态”。最近L. 凯迪在他的论文《尼采哲学与法西斯主义》里也赞成这种意见。

凯迪把贵族主义当作尼采思想内容的特征。

只有反无产阶级革命运动的尼采哲学，才会被今日的法西斯主义者所利用。目前，法西斯主义已经不能制造新的独立的意识形态了。它只是各种反动学说的综合。虽然，法西斯主义已经没有一贯的理论系统，而变成哲学上的折衷论，但是它却不会放过利用各种哲学中反动部分的机会。

“在这点上，”一位法西斯的信徒这样写道，“首先应该记忆的是尼采，斯本格拉（Spengler）在某演说里说过墨索里尼是尼采哲学的实现者。”

我们在墨索里尼答复一个通讯员的信里可以看到他自己也这样承认：

> 在你给我的信上面，你说我的演说及笔调，有着尼采的口味。你说我研究过尼采，是的确的。十五年前，…… 我偶然得到他的著作。那是我从头至尾读破了的东西，我从那里面受到很大的感动。他的著作医治了我的社会主义。

墨索里尼在一个青年面前这样推荐尼采，同时更承认尼采对他有很大的影响，甚至于说尼采医治了他的“社会主义”，这是很令人玩味的。

不用说，尼采在自己的祖国受到了更热烈的捧场。“纳粹”宣言道：

> 生命是强有力的，就应该进向尼采的道路。

而且，他们还从尼采哲学和纳粹主义的世界观之间找到了共通点，在法西斯指导杂志《纳粹社会主义月报》第一号上，就出现了这样的话：

> 纳粹主义的政治运动和尼采哲学的共通点，存在于两者的世界观的根底，尼采在自由主义时代，倡说确固不动的英雄的新道德，这正是我们的东西。

尼采的确超过了他的时代。自由主义时期的尼采学说，在当时并没有得到广泛的注意，他没想到自己的理想终于在现在的法西斯主义的国度里实现了。

为什么在自由主义时代的统治阶级不欢迎尼采呢？普列汉诺夫曾经解释过这问题，他以为：当时“非道德的实践，还决不需要非道德的理论。……所以现代布尔乔亚，一面对尼采并不同感，一面却经常的欢悦的迎接着他的道德的否定律”。

然而，“非道德的实践”拒绝“非道德的理论”只有在资本主义社会还没有走到灭亡时期才可能，那时候统治阶级还能向劳动大众搬弄一些虚伪的道德观念。可是目前资本主义已经发展到垂死的时期了，统治阶级已失去了控制的能力，它需要一切最反动的意识形态来挽救自己的毁灭。在今日法西斯主义挑选了尼采学说还是偶然的吗？

尼采的贵族主义的思想在当时不能代表向上发展的阶级，相反的，在尼采哲学的根底里充满了许多反动的因素，这是尼采主义与鲁迅的初期思想在本质上不同的主要根据。

我们分出这许多篇幅来分析鲁迅与尼采的意识形

态，因为这是研究他们思想内容的基本关键。从上面看来，尼采所代表的阶级的意识形态是堕落的，阻碍历史前进的。而初期的鲁迅虽然是代表市民阶层的启蒙思想，但当时市民阶层还是向上发展的阶级，同时我们更不可忽略了鲁迅的现实主义的特性。

## 二

关于鲁迅与尼采的阶级性和意识形态问题，只不过是帮助我们理解他们的个人的社会地位，以及他们所不能越过的观念形态的限界而已。我们应该更进一步的把鲁迅与尼采的世界观和他们的特殊的、复杂的发展过程，当作全面的问题来加以研究。

尼采世界观的根底里，是以“人种论”作基础。他宣言道：

> 正义是这样说：人类不是平等。

人类不平等是解决尼采哲学一切问题的根据，他在估价所有社会问题的时候，都是从这个基本命题出发的。造成人类不平等的原因是由于遗传性的关系。尼采说：“你走什么道呢？请先走你先祖之道。”但是从什么地方去分辨人种的高贵与低贱呢？这里，尼采充分的暴露了自己的反动思想，他公然的说：

> 善恶对照的根源，如所说那样，是和高贵距离的感情；是对于低级种族，低级东西的高尚支配的长时期的优越感。

尼采认为人类全部斗争的历史，并不是阶级斗争，而是种族斗争，他歌颂主人对于奴隶的压迫：“有产者对待其低级人们的权力，亦像我们对待蚊虫一样，击毙它并无任何良心的悲悯。”同时高级文化的产生，也是由于高尚意志和权力者打击了柔弱人种文化的结果。“所有高级文化，”尼采说道，“是具有原始天性的人们，及具有未损坏的意志力和权力顽强的野蛮人，袭击柔弱的和平的人种的结果。”而且尼采还把这种学说应用到国家的形成上去，他说：“所谓国家是由契约开始的，这是梦想，真的现实，并不是那样的。”尼采补充道：“由优势人种征服弱小人种是国家的起始。”尼采认为高贵的人种是阿利安人，头发是金色的，而黑发的人都是卑劣的平民。尼采在《善恶的彼岸》里说：

> 贵族主义应该确信：社会不是为着社会而存在，社会不外是志于自己的高贵的使命，主要的是志于高贵的存在的被选人们高高耸立着的基础和站地。被选的人们，好似高高伸展在青空的加巴岛的茑蔓，茑成为繁茂的轮圈，卷曲着自己的茎，经槲树之干而上升，达到那顶上而耸立着。茑虽然依赖槲树，但那绝顶的渺茫和广大，可以夸耀自己的幸福。

尼采将茑蔓和槲树，比作贵族和劳动者的关系，贵族虽然依靠着劳动（者）们才能生存，但他们必须超越过凡俗的平民而夸耀自己的幸福。这种粗率而无耻的表白，难道还不能证明尼采贵族主义的思想吗？奴隶制度对于尼采是必要的，没有奴隶们作基础，那么高贵的选民怎能站在上面夸耀自己的光荣呢？

尼采坦白的说：

> 奴隶制度，是文化本质上的必然的条件，这真理毫无疑问的余地。

奴隶只配作奴隶，他们不过是为了奉养高贵的选民而活着。假设“奴隶从希望说，要在他们之中养成主人的思念”，尼采这样叫道，“是愚蠢的”。宽恕和怜悯都是说被允许的行为。产生奴隶制度是人种斗争的结果，这是高贵人种繁荣的基础。尼采说：“富必招致人种的贵族主义，那使娶取美丽的妇人，雇用优良的教师，成为可能，于人们提供体育的时间，特别把心神由疲倦的肉体劳动中解放出来。”

尼采对于主张平等的人加以最恶毒的轻蔑，他说道：

> 我憎恶卢梭的道德，这么武断，扰乱浅薄多数人的心，讨厌所谓革命的真理。……平等

> 的学说……像这样有害的学说有么？一边说正义，一边想要把正义灭亡。“在平等的东西上则平等，不平等的东西上则不平等”——真理这样说，所以低级的人不能和高级的人相比较。

高贵的选民怎能和低级人平等呢！奴隶始终只配和奴隶讲平等的。尼采哲学中充满了反民主的毒素，他反对人类享受共同的幸福，只有“最高族籍——我将它名为极少数者——当作最完全的人们，同样享受极少数的特权，是在这地上的幸福的优美的代表者”。大多数的劳动者是不能享受这种特权的，因为他们的本能已经堕落了，他们只配编入“支那人”的身份。照尼采看来，“当作支那人型的，素质而自足的人类种族，虽未完成编入身份的希望，但这是理性的，也是必然的”。低级人类的受苦遭难，尼采认为是自然法则，没有什么不合理的地方。

尼采把人种当作不变的东西，他再三的解释道：

我们对于祖先要是稍微知道，那对于子孙是可以类推。

子孙永远走着“先祖之道”，先祖是奴隶，子孙也是奴隶，永远没有翻身的机会。谁要想改变一下命运的支配，尼采将给他以最强烈的憎恨。从这里我们可以看出鲁迅与尼采的基本差异点了。

许寿裳在鲁迅生活的讲演里，曾经记述道：

他（鲁迅——文注）在课余爱读哲学文学的书，以及常常和我谈国民性问题。

又说：

总之，他在游学时期，用心研究人性和国民性问题。

假设我们从这现象的表面去看，就很容易认为鲁迅也是一个人种论者，或者把鲁迅与尼采拉到同样地位。

这里我们应该回忆一下恩格斯对于易卜生的分析，恩格斯在这问题上批判了爱伦斯德的机械方法，而提供了自己的特殊意见。（他指出在易卜生作品中反映着一些“发动的力量”，这是因为挪威的中、小资产阶级还没有完全变成布尔乔亚的附庸，还有一些“独立”的经济活动；易卜生的作品里反映的是“中等资产阶级的小小世界”，他所反对的“多数”正是以这些人为对象，如果把它来代替真正的劳动大众的“多数”，这是对于挪威的经济活动、阶级对比缺乏具体的认识的结果。）

鲁迅研究人性问题的目的和尼采的人种论有着本质上的不同。鲁迅研究国民性正是他要求中国人在世界上争得平等的地位，不要“被挤出世界去”，而尼采却是要拿人种论来作为奴役劳动阶级的工具。所以鲁迅与尼采对于人种问题的理解，根本是冲突的。尼采认为人种不变，奴隶永远没有改变命运支配的时候。但是鲁迅问道：

果真国民性是难以改变的么？

鲁迅在一九一九年，无形中就给了尼采的“子孙走先祖之道”一个严重的痛击：

> 只要思想未遭锢蔽的人，谁也喜欢子女比自己强，更康健，更聪明高尚，——更幸福，就是超越了自己，超越了过去。超越必须改变，所以子孙对于祖先的事应该改变，“三年无改于父之道，可谓孝矣”，当然是曲说，是退婴的病根。假设古代的单细胞动物，也遭着这教训，那便永远不敢分裂繁复，世界上再也不会有人类了。

这难道还没有把“走先祖之道”的尼采哲学，打得个落花流水么？鲁迅是代表向上的阶级，他敢正视现实的，他不怕用“动”的逻辑去估价人种问题，然而尼采只能站在反动阶级的立场，他永远将人种问题放在“静”的逻辑的范围里面去解释。对于人种问题的发展和固定的评价成为鲁迅与尼采之间的不能调和的界限。

从上面这段话里，我们可以看出鲁迅对于“进化”

的概念，是站在达尔文主义的立场。他说现在的人应该超越过去的人，超越就是改变。鲁迅借着单细胞动物的分殖来证明超越是生物（包括人类）的一种本能。但是社会进化不能光用生物的本能来解释的，它还包含了阶级斗争的复杂关系。动物界的适应环境主要表现在生理器官的变化，但人类的生存竞争却表现在生产力的关系上面。人类同动物虽都是为生存而斗争，但有本能的和意识的差别。马克斯说："人类历史之所以异于自然历史者，即前者为我们所造，后者非我们所造。"这就是生存竞争表现在人类历史上和自然历史上的不同。

秋白先生曾经说鲁迅是由进化论发展到阶级革命论的，（但是据说最近已有人反对这种意见，他们说，鲁迅一开始就是唯物论而不是进化论。）鲁迅自己在《三闲集》的序言里也说过同样的话："我一向是相信进化论的，才以为将来胜于过去，青年必胜于老人。"又说："我有一件事要感谢创造社的，是他们挤我看了几种科学的文艺论，明白了先前文艺史家们说了一大堆还是缠不清的疑问。……以救正我的只信进化论的偏颇。"这很明显，鲁迅自己承认初期的思想是进化论。

但是我们从什么地方来更进一步的证明鲁迅自己的这个肯定呢？且看他在《坟》里说：

> 我现在心以为然的道理，极其简单。便是依据生物界的现象，一、要保存这生命；二、要延续这生命；三、要发展这生命（就是进化）。生物都这样做，父亲也就是这样做。

鲁迅把“保存生命”，“延续生命”，“发展生命”当作人类的生存斗争的本能，这是进化论的看法。在人类分化成阶级对立的社会里，不像生物界的适应环境，它主要的是阶级斗争，因此并不是所有的青年都胜过老人，在同一青年的集团里也发生着进步和堕落的搏斗。

我们可以看到，鲁迅和达尔文在许多地方都很相同的。他们全是从精密的研究事实出发，达尔文在卑格尔号的航行上，花去了五年采集标本的功夫，他与晕船挣扎，仔细的考察所得到的材料，结果他从那里面找到了真理。另一方面，鲁迅也说：“凡有所说所写，只是就平日见闻的事理里面，取了一点心以为然的道理。”他所创造的伟大的艺术形象《阿Q正传》就是他仔细研究现实的成果。同时，他们都不是机械的自然主义者，他们都是将所有的现象联系起来观察的。海博尔在他的《达尔文传》里说："他（达尔文——文注）用大批的证据去证明这种学说的正确，并研究这一类的单个的现象，将它们结合起来，比起他的一切先驱要深刻得多，坚固得多。"同样，鲁迅在中国文艺理论还十分贫乏的时候，对于典型的创造也说过这样的话："人物的模特儿也一样，没有专用过一个人，往往嘴在浙江，脸在北京，衣服在山西，是一个杂凑起来的脚色。"把现象联系起来观察，推出事物的本质，这是鲁迅与达尔文的优秀的作风。

鲁迅对于人类的爱，大家是全知道的。但是达尔文也同样对人类怀着莫大的热爱，他写在自己的日记上道："我几乎不相信在蒙昧人和文明人之间有着怎样大的区别。"他对于奴隶制度充满了愤怒，他因为同情黑种人的命运，曾经和卑格尔号的船长发生冲突，几乎使他舍弃了他的旅行。他写给姊姊的信说："英国如为完全铲除奴隶状况的第一个欧洲民族，那它将有何等的荣耀呵！在我离开英格兰之前，有人对我说，如住在蓄养奴隶的国家中，我的意见将完全改变。我知道自己唯一改变之点是对于黑人品性的估价，已经晓得应高得多。看见一个黑人而不加以友谊的态度对付他，是不可能的。”他更憎恶白种人对于土人的掠夺，他说：“这种白人似乎以为此地是要遗留给他们的子孙的。”总之，从上面这些点看来，初期的鲁迅成为一个达尔文主义者不是偶然的。但鲁迅没有像有些人故意的歪曲进化论，机械的把它引用到社会问题上来。

达尔文主义和马克斯主义不是对立的。“这两个学说只是整个科学唯物论的两部分，彼此间有着逻辑的联系及内部的相互照应。”（哥列夫）达尔文所研究过的是以生物进化为对象，马克斯所研究的是以人类进化为对象。达尔文从生物界各种现象的总合中得出结论：物种是变化的，这给当时的观念论者一个很大的打击。物种变化的原因是为了生存竞争，是生物界适应环境自然淘汰的结果。马克斯曾经从生物器官的改造上，讲到人类工艺学与自然工艺学的关系：

> 达尔文曾致其兴味于研究自然工艺学的历史，就是说，致力于研究动植物的器官的构造，此种器官在动植物的生活上有生产工具的作用。

马克斯与达尔文在研究人类工艺学和自然工艺学的时候，得到同样的结论，在方法论上他们也是相同的。恩格斯在马克斯的墓志铭上，讲到他老友对于人类的伟大贡献时说："与达尔文发现了有机的自然界的发展定律一样，而马克斯乃发现了人类历史的发展法则。"

这里，我们可以知道达尔文主义与马克斯主义在实际上是研究工艺学的两方面。达尔文发现了自然工艺学的发展法则，而马克斯发现了人类工艺学的发展的真理。

达尔文主义与马克斯主义既然不是对立的，同时又是科学的唯物论的两面，因此秋白先生说鲁迅的初期思想是进化论，这显然并不是意味着与唯物论对立的。

但是鲁迅的进化论与尼采的人种论有着本质上的差异。鲁迅认为人种因了适应生存竞争必定会发展和进化，可是尼采却永远把人种学说停留在固定的状态上，认为环境对于人种是绝对没有影响的。因此在对于文化问题的观点上，鲁迅与尼采也显出了差异，鲁迅并不把人类文化的进步看作是人类生理发展的继续，但尼采却坚决的认为文化是由于高贵选民征服了弱小者才会产生的。巴人先生曾经引用鲁迅在《摩罗诗力说》中介绍尼采关于文化问题的话，来证明两人相同的地方，其实尼采的“不恶野人”的观点还是建筑在他那一贯人类不平等论上，他认为“回复到野蛮制度，有时亦是必要的”。鲁迅却没有像尼采这样粗暴的侮辱历史发展的真理，他从来没有企图把历史拉回到野蛮时代。鲁迅对这问题的观点是站在人类平等学说的基础上，他与达尔文的“人类文化的发展，并不是人类生理发展的继续”的结论是一样的，他爱好野蛮人，认为从野蛮人中也能产生出力量来，我们拿这和宣扬文明的理论比较一下，会得出怎样的区别来呢？

鲁迅在“五四”运动刚一开始的时候，就这样叫道：

> 我们还要发愿：要人类都受正当的幸福。

这难道还不足以说明鲁迅与尼采的不同吗？而这不同正是解决他们对一切社会问题估价的基础。

尼采轻视理性，他不从现实出发，他把理性事业当作人类的幻想结果。他说："继起性，交代性……法则，自由，原因，目的，这些都是我们自身思索出来的。"人类从来不会认识客观存在的真理。尼采对于现实是抱着极大的轻蔑的态度。

鲁迅对于理性的态度是怎样的呢？他教示青年道：

> 更进一步希望于点火的青年的，是对于群众，在引起他们的公愤之余，还须设法注入深沉的勇气，常鼓舞他们的感情的时候，还须竭力启发明白的理性。

"五四"启蒙运动的时候对于理性是不注意的，到了目前的新启蒙运动时，理性已经被抬高到重要的地位。鲁迅当时的这种思想的确超过了他的同辈，这是鲁迅现实主义的特征，其他一般二元论者对于群众是根本不放在眼内。鲁迅说"震骇一时的牺牲，不如深沉的韧性的战斗”。鲁迅是个持久战士，对于恶势力始终取着韧性的战斗，别人动摇了，而他仍旧站在战场的岗位上。

我们相信鲁迅如果否定了真理，那他决不会这样坚定的同反动者搏斗的。鲁迅是个文艺家，他没有直接的把他的真理说出来，但我们却可以很清楚的知道他那时的抱负完全是为了“解放人类”这个光荣的事业。

请看尼采对于真理的意见是什么，他说：

……无论到什么时候也不能接近真理的，因为没有任何真理。

尼采哲学体系中，充满了这种非合理的成分，他以为认识不过是人类的工具，他叫人空想。在反动阶级的意识形态里，是连真理的影子也看不到的，这大概就是所谓——尼采常常用来估量低级人种的“本能堕落”的结果吧。

几乎谁都知道，尼采否定了过去数千年来的伦理观念，他宣言道：“冲倒堕落者”吧。但是尼采的道德观念和他的人类不平等论的出发点是一元的，并非绝对排斥的。有人说尼采的道德观念是在他反动思想之外的东西，尼采在人种论上是反动的，可是在反偶像上是进步的。这种把尼采思想区分为两种对立的说法是二元论，其中包含了很严重的错误。其实尼采的人种论和他的伦理观念都是从一贯的世界观出发，它们并不是相互排斥的东西。为了了解这种结论，我们先看尼采的道德观是怎样的：

> 这是“主人道德”和“奴隶道德”……在快乐的知道了自己和从属者的差别的支配阶级和被征服阶级及种种从属民之间，产生了那道德的评价的不同。

“奴隶道德”是什么呢？照尼采说来“奴隶最爱着的东西，是使他们忍受世上的压迫的性质”。尼采说苏格拉底“是民众出身，他的丑恶，谁也知道”，因此，“这样他成了慈善的先生，这样他说教了，慈善等于幸福”。尼采认为同情奴隶是罪恶的行为，奴隶们不需要什么幸福，他们只应当忍受世上的压迫。同时，主人们只需“无理的强夺”，“不要屈服于感伤的柔弱，生活就是征服别人，侮辱别人；……生活是压迫，是冷酷的关系，是无理实行自己本身的东西”。尼采嘲笑放弃权利的人，说他们是“怯弱者”。在奴隶们渐渐强大，已经自觉了自己的命运，要推翻主人统治地位的时候，主人们的斗争和压迫怎能放松呢！

尼采反宗教、反偶像也是从人类不平等的基本命题出发的，他讨厌基督教里的平等观念，尼采想要在旧偶像上，建立一个更强壮的支配力量。他早就宣称过：“服从权力的意志”，“使不能指挥的，不能命令的人服从吧！”

尼采所反对的是主人的宗教，主人是不需要怜悯和同情的，但对于奴隶却不同了，他说：“或者，在基督教及佛教里，再没有比他们那种利用虔信以教诲低级的人们接近飘渺的最高秩序，因而使他们与现存秩序妥协的艺术，更值得敬重的。”我们看这和他的人类不平等论有什么矛盾的地方呢？

一般人的意见常常把“个性解放”当作鲁迅与尼采的共同点，巴人先生就是从这个命题出发的，他以为鲁迅与尼采思想的血缘关系，就在于两人都是“以个性主义的思想为根基的”。

鲁迅与尼采虽都主张“个性主义”，但是却反映着两种不同的社会关系。尼采对于“个性解放”问题仍是站在人类不平等的学说上，他把个性与集体对立起来，他的个性崇拜是排斥一切有组织的社会性的，这正如柯根所说，尼采反对群众，是“利于贵族的个性的反动”的。因此，由这里尼采产生了“超人”的学说。然而，鲁迅在《热风》里就已经指出过,“尼采式的超人”是“有些渺茫”的。我们应该特别注意在当时法西斯主义还没有出现，因此使得尼采哲学的反动因素还没有完全暴露出来，同时东方的科学的社会主义理论还十分幼弱。

鲁迅并没有叫人走尼采的“超人”的路，而且他还用这来警戒青年，当时鲁迅除了拿尼采哲学作为反偶像的工具外，是没有旁的企图了。我们可以看到，鲁迅在他初期的全部著作里，除了反偶像的地方之外是没有提到过尼采的，鲁迅始终没有承认他受了尼采的很大影响。

鲁迅在当时不但不将个性同集体对立，并且还把自己的爱憎和群众的利害统一起来。我们看他在下面这段话与尼采的赤裸裸的利己主义精神有着怎样的不同：

> 我们追悼了过去的人，还要发愿：要自己和别人，都纯洁聪明勇猛向上。要除去虚伪的脸谱。要除去世界上害人害己的昏迷和残暴。
>
> 我们追悼了过去的人，还要发愿：要除去于人生毫无意义的苦痛，要除去制造并赏玩别人苦痛的昏迷和强暴。

这种充满热情的喊叫，就是现在还令我们感动的。鲁迅不但要解放“自己”，而且还要解放“别人”，他对于制造人类痛苦的强暴提出了愤怒的抗议，鲁迅所要求的是“人类的共同幸福”。他的这种精神充分表现在妇女问题的见解上，他对于企图把错误归罪到妇女身上的道学先生，痛斥道：

> 不节烈的女子如何害了国家，照现在的情形，“国将不国”自不消说；……但此等现象，

只是不讲新道德，新学问的缘故，……况且政界，军界，学界，商界等等里面全是男人，并无不节烈的女子夹杂在内。

鲁迅在自己的小说里，也曾经几次的表现出对于奴役妇女的缠足风习，感到很大的憎恶。他在当时是一个主张妇女解放的前辈，已毫无疑问了。但是尼采对于妇女的观念正是鲁迅所痛恨的——“你使妇人服从，不要忘记鞭笞”。尼采对于妇女争取平等的地位加以很大的不满，他认为这是两性问题的“污点”，其实“妇人的最高任务是外观和美貌”，“是生产健全的小孩”。除此之外，什么都没有了。在贵族主义的尼采看来，和女人怎能讲平等呢?

尼采终于被拖出来了。反动阶级公开的宣称法西斯主义是“尼采思想的实现”。他们称赞尼采的天才，说尼采是法西斯主义的“先驱者”。

但是，尼采所憎恶的平等社会却真正实现在六分之一的土地上，奴隶们用不能摧毁的力量粉碎了主人的统治。从这里看来，鲁迅比较尼采，是幸福的，他已经亲眼看到自己的理想是怎样变成了铁一般的事实。然而尼采却也并非十分不幸，因为他倒底还在他不肖子孙的垂死时代之前就已经瞑目了。

## 高尔基集体农庄

在乌克兰的波尔达夫斯基那，有着一个乡村名叫马奴伊洛夫。这村子冠着一个光荣的名字：高尔基集体农庄。原来这村子，在十九世纪末叶，高尔基曾来住过。这农庄的集体农民们都很敬爱高尔基，为作永久纪念，他们特地在村里设立了一个高尔基陈列馆。艺术家和当地的学生们，给陈列馆绘制了几张表现高尔基在这村中生活的图画，例如，“高尔基读谢夫成果的《柯勃查尔》”，“林中散步”，“高尔基和村人烧饭”等。

在高尔基曾经住过的屋子里，设立了一块纪念牌。高尔基陈列馆里设立一个图书馆：馆中存书几千册，高尔基的作品受该村的农民最大的欢迎。

高尔基陈列馆在今年六月十八日，当高氏逝世三周年的时候开幕。

据该村的农妇马丽雅·霍鲁任果说：高尔基非常欢喜听和唱乌克兰的歌曲。高尔基每逢星期日和当地的农民谈话，向他们讲述一切，向他们询问一切，所以农民们都爱这位伟大的俄国作家。（欧之）

# 鲁迅与诗歌

锡金

## 一

鲁迅先生为现实主义的文学者，他对诗歌的见解，当亦是现实主义的。然而，鲁迅先生虽曾致力于诗歌，其后却并未把诗歌当作他的主要的工作，洎乎晚岁，他更对诗歌方面往往自逊为“外行”，但即就他生平关于诗歌的工作来看，则实在是有很多极宝贵的可为新诗歌的前途取法的地方。

蔡孑民先生称鲁迅先生为“中国新文学的开山”，这光辉的伟大者，在中国文学的历史上尽了承上启下的任务，从鲁迅先生的诗歌工作中，像在他的其他工作中一样，我们可以看到中国新文学的艰辛的缔造和战斗的历程，对这卓然先导的伟大者，我们是不能不竭其追怀和赞叹的。

## 二

从现在收《全集》中让我们看到的鲁迅先生一生的诗歌工作，大约有诗歌的创作，翻译，作品和论文，以及列论诗歌的文字等类。关于诗歌的创作：新体诗有《梦》等五首，都作于一九一八年，曾发表在《新青年》的四五两卷，外《野草》一集，收散文诗二十二篇，还有“拟古的新打油诗”《我的失恋》一篇。也有另一些打油诗，则是附在一些杂文的后面的。此外还有时事歌谣《好东西歌》等四篇，作于一九三一至一九三二年间，发表在《十字街头》上。其主要的创作，则为旧诗。现在收在《集外集》和《集外集拾遗》中的，共计四十二首。写作的时间较长，大概他一直是用旧体在写作的。

翻译的作品，有裴多斐（Petöfi Sándor）的诗五首，和奥国的翰斯·迈伊尔的《中国起了火》，以及为了木刻图画和诗的击赏选译的《跳蚤》（法国 G. Apollinaire）

和《坦波林之歌》(日本蕗谷虹儿)等三首，还有关于诗歌的论文，他译了武者小路实笃的《论诗》，厨村白川的《东西的自然诗观》，和铃木虎雄的《运用口语的填词》等。虽为述论诗歌，但在他译述的动机，则主要的还是为了国外文学见解的介绍。

鲁迅先生自己的对诗歌的意见，则时或散见在许多的杂文内，其中有主要的完全地表白了他初期的诗歌的见解的，则有一篇《摩罗诗力说》。

## 三

早在一九〇七年，鲁迅先生便在《河南》上发表《摩罗诗力说》，这是鲁迅先生介绍国外诗人，用来呼嬴振隤的。直到一九二六年《坟》的收集的时候，鲁迅先生对于这篇文章这样说了：

> ……看见了几篇将近二十年前所做的所谓文章。这是我做的么，我想。看下去，似乎也确是我做的，那是寄给《河南》的稿子；因

为那编辑先生有一种怪脾气，文章要长，愈长，稿费便愈多。所以如《摩罗诗力说》那样简直是生凑。倘在这几年，大概不至于那么做了。又喜欢做怪句子和写古字，这是受了当时的《民报》的影响；现在为排印的方便起见，改了一点，其余的便都由他。这样生涩的东西，倘若是别人的，我恐怕不免要劝他"割爱"，但自己却总还想将这些留下来，而且也并不"行年五十而知四十九年非"，愈老就愈进步。其中所说的几个诗人，至今没有人再提起，也是使我不忍抛弃旧稿的一个小原因。他们的名，先前是怎样地使我激昂呵，民国告成以后，我便将他们忘却了，而不料现在他们竟又时时在我眼前出现。(《坟》的《题记》)

他又当提到《坟》的内容时，这样说：

倘若硬要说出好处来，那么，其中所介绍的几个诗人的事，或者还不妨一看。(《写在

《坟》的后面》)

这样看来，可知这篇文章，实是可以代表鲁迅先生初期二十年间的对诗歌的意见的。

鲁迅先生最初的介绍，是鉴于“古国文化”的“勾萌绝朕，枯稿在前”，特意欲以“摩罗诗力”来加以振发。摩罗是天竺所说的天魔，就是基督教中所说的撒旦，像拜伦那样就是被人目为撒旦诗人的，然而鲁迅先生要介绍“举一切诗人中，凡立意在反抗，指归在动作，而为世所不甚愉悦”的，来作民族文化的新生的机运。这正是与当时鲁迅先生的整个的文学见解一致的。不过特以“人文之留遗后世者，最有力莫如心声。古民神思，接天然之閟宫，冥契万有，与之灵会，道其能道，爰为诗歌。其声渡时劫而入人心，不与缄口同绝，且益曼衍，视其种人”。所以专就诗人来说了。诗歌为文学的一部分，鲁迅先生即以诗歌来代表了文学。

从诗歌与文化的企发说起，持以诗歌中的争自由独立的反抗精神，全文实在是以“摩罗诗人”拜伦（Byron）为宗主的。从拜伦而下，更介绍了在拜伦影响下的和与拜伦一样同具“摩罗诗力”的许多诗人，如雪莱（Sholly，原译作修黎），如斯拉夫民族的普式庚、雷芒托夫（W. Lermontov，原译作来尔孟多夫），如波兰的密克威支（A. Mickievicz）、斯洛伐支奇（J. Slowacki）、克拉旬斯奇（S. Krasinski）三诗人，如匈牙利的裴多斐（原译作裴象飞），“上述诸人，其为品性言行思维，虽以种族有殊，外缘多别，因现种种状，而实统于一宗：无不刚健不挠，抱诚守真；不取媚于群，以随顺旧俗；发为雄声，以起其国人之新生，而大其国于天下”。鲁迅先生是曾为中国大声疾呼，要求这种精神界的战士的。

我们知道，这一群诗人，正是拜伦的浪漫精神的传统。这一种精神，特别是在反黯旧，反封建中显得是有力的战斗的先锋，虽然，我们曾看到那种的进步性的限制，但却是一切的新生的战斗力的源泉，鼓舞起来，攻破了陈腐和黑暗。鲁迅先生，是欲据这种精神，来击破中国的麻痹蠢钝，和一切“污浊之平和”的。这是当时辛亥革命前一时期的比狭义的民族主义更进一步的反封建的战斗的呼声。

鲁迅先生这时对诗歌的见解，大致都可以在这篇文章中找到，特别是对于中国诗歌之缺乏摩罗诗力，更有确切的解析，这一段文章，是依然可为我们目前的落伍的诗歌说法的。

——中国之治，理想在不撄，而意异于前说（即思古无为，不撄人心，必先自致槁木之心之说——锡注）。有人撄人，或有人得撄者，为帝大禁，其意在保位（现在我们可当作保持现状解——锡注），使子孙千万世，无有底止。故性解（Genius，天才——锡注）之出，必竭全力死之；有人撄我，或有人能撄人者，为民大禁，其意安在，宁蹐伏堕落而恶进取，故性解之出，亦必竭全力死之。柏拉图建神思之邦，谓诗人乱治，常放域外；虽国之美污，意之高下有不同，而术实出于一。盖诗人者，撄人心者也，凡人之心，无不有诗，如诗人作诗，诗不为诗人独有，凡一读其诗，心即会解者，即无不自有诗人之诗。无之何以能解？惟有而未能言，诗人为之语，则握拨一弹，心弦立应，其声彻于灵府，今有情皆举其首，如睹晓日，益为之美伟强力高尚发扬，而污浊之平和，以之将破。平和之破，人道蒸也。虽然，上极天帝，下至舆台，则不能不因此变其前时之生活；协力而夭阏之，思永保其故态，殆亦人情已。故态永存，是曰古国。惟诗究不可灭尽，则又设范以囚之。如中国之诗，舜云言志；而后贤立说，乃云持人性情，三百之旨，无邪（不正当和反叛的思想——锡注）所蔽。夫既言志矣，何持之云？强以无邪，即非人志。许自繇（“由”字——锡注）于鞭策羁縻之下，殆此事乎？然厥后文章，乃果辗转不逾此界。其颂祝主人，悦媚豪右之作，可无俟言。即或心应虫鸟，情感林泉，发为韵语，亦多拘于无形之囹圄，不能舒两间（指天地——锡注）之真美；否则悲慨世事，感慨前贤，可有可无之作，聊行于世。倘其嗫嚅之中，偶涉眷爱（响往之情——锡注），而儒服之士，即交口非之。况言之外常俗者乎？惟灵均（屈原——锡注）

将逝，脑海波起，通于汨罗，返顾高丘，哀其无女，则抽写哀怨，郁为奇文。茫洋在前，顾忌皆去，怼世俗之浑浊，颂己身之修能，怀疑自遂古之初，直至百物之琐末，放言无惮，为前人所不敢言。然中亦多芳菲凄恻之音，而反抗挑战，则终其篇未能见，感动后世，为力非强。刘彦和所谓才高者菀其鸿裁，中巧者猎其艳辞，吟讽者衔其山川，童蒙者拾其香草。皆著意外形，不涉内质，孤伟自死，社会依然，四语之中，函深哀焉。故伟美之声，不震吾人之耳鼓者，亦不始于今日。大都诗人自倡，生民不耽。试稽自有文字以至今日，凡诗宗词客，能宣彼妙音，传其灵觉，以美善吾人之性情，崇大吾人之思理者，果几何人？上下求索几无有矣。第亦不能为彼徒罪也，人人之心，无不渤二大字曰实利，不获则劳，既获便睡。纵有激响，何能撄之？夫心不受撄，非槁死则缩朒耳，而况实利之念，复烋烋热于中，且其为利，又至陋劣不足道，则训至卑懦俭啬，退让畏葸，无古民之朴野，有末世之浇漓，又必然之势矣，此亦古哲人所不及料也。

在这种暗闭的环境下已经不是“伟美之声”产生的良好环境，再加之以形式主义的理解，庸俗的实利主义的蒙蔽，故中国的诗歌终至全无摩罗诗力了。时至今日，我们的诗歌有的还停留在这一阶段，是应该加以猛省的。

但是对于诗歌的概念，鲁迅先生那时是反对一种“据群学见地以观诗者”的，为什么呢？因为这一种“群学”“要在文章与道德之相关”，终至要以此说来阻碍诗歌的生长。所谓道德，当是指的旧群学（社会学）的旧秩序的道德，鲁迅先生正是要冲破这一种道德，也正是要冲破这一种“群学”的。所以他重复根据了“纯文学”的理论，来发扬他的见解，并且说明诗的为用“兴感怡悦”之外，还有“涵养神思”，此固文章之能事。但此外更还有特殊之用：则在说理之外，诗更能表现，而使“闻其声者，灵府朗然，与人生即会”。“昔爱诺尔特（M. Arnold）氏以诗为人生评骘亦正此意。故人若读鄂谟

（Homeros 通译荷马——锡注）以降大文，则不徒近诗，且自与人生会，历历见其优胜缺陷之所存，更力自就于圆满。此其效力，有教示意；既为教示示，斯益人生；而其教复非常教，自觉勇猛发扬精进，彼实示之。凡苓落颓唐之邦，无不以不耳此教示始。”

鲁迅先生起始是这样的理解诗歌，而且在诗歌上寄托了他的最大的期望的。

## 四

鲁迅先生这样的号召了中国诗歌的起来，虽然，嗣后他自己忙迫于对现实的更广泛的战斗，便不暇再在诗歌上致其全力了。

推溯鲁迅先生写作新体诗的时期，恰当一九一八年，“五四”的前夕；这时，白话诗运动正为文学革命的前列的招扬的大旗。鲁迅先生的写作新体诗，当是与这时的新诗歌的建造的战士们一致行动，初期白话诗运动中，鲁迅先生也是一位参与的战士。

但是我们的初期白话诗的战士的职责，一方面要冲破旧诗的铐桎，去获得解放和自由，另一方面却又必亟须在创作上完成自己的体式。我们从现在来看到最初的白话诗，那最显著的特征就是：在诗的语言上只是把白话来入诗，都还是粗糙而不曾精炼的白话，处处都是草创和新解放的、但又带著旧的痕迹。在体式上呢？也都是姑且试用着，虽然赋给最大的自由，却也抓不住一定的把握；那时的每一个诗人，都还必须是自己的体式的创造者，自己用着这样的体式，不一定是恰恰得心应手的，终在不断的试用下发生以后的许多改变。

鲁迅先生的新体诗的创作，看来是即以当时最通行和习用的体式来使用的，他即以这样的体式来写他的诗，灌注了他的思想内容，对于一个更适合的体式的探求和运用，却终使他换用了散文诗的形式。他的诗是为表现他的内容而写的，目的不注重在完成体式，这一点，正如他入后又从散文诗而进一步采用更应手的战斗的杂文体式，他的文学事业全不是注重在完成一种文体上的，他并不是像那些皮相者所理解成的是一个文体家（Stylist）。

既有了比较适合的散文诗的体式，更有了可以充分发挥他战斗的功能的杂文，诗歌在他便变得居于他的文学工作中的不主要的部分了，他仍然有时写诗，却是用他习用的而且应手的旧诗了。

鲁迅先生生平写了许多旧诗，这些旧诗的写作的时间是延亘在他的一生的，但是那些大抒怀遣情之作，只有一些打油诗和歌谣才是运用来作战斗的工具的。

在鲁迅先生的诗歌中，和他的其他体裁的作品一样，我们同样可以感到他的深刻、沉毅和一种苍凉的况味，但却涵蓄著悲愤和热烈的火。在他的旧诗的遣词用韵，我们可以看到有些李贺的影子，但鲁迅先生的诗和李贺的诗的所以截然不同，却在内容，即在鲁迅先生决不像李贺那样的寒冷、悲观和变态，作者的人生观和世界观是决定了他的作品的。

他的旧诗在今日的旧诗中是非常卓越的，在旧诗的发展到今日，已经到了山穷水尽的程度，所有的旧诗人现在大都不过只能弄到在形式和格律上铺排和敷衍一下罢了，鲁迅先生的旧诗却特别在死湮湮的形式中，常常泼剌地冲破格局，注入了新的生命。

# 五

但是鲁迅先生后来是常常讳言他的诗歌的，以这样的热烈地号召了诗歌，并且在诗歌作品上也有着极高的成就的事实上，我们怎样可以得到解释呢？

关于这，我们可以从几方面来看：

第一，从上面我们看到的，鲁迅先生虽然曾经那么郑重而热烈地号召过诗歌，但后来，他自己主要的工作是并未放置在诗歌上的，一面要战斗，一面要磨练武器，虽然这武器可能成为非常锋利的，但他是来不及了，杂文成了他有力的投枪，于是他勇往的用来战斗，在忙迫中，诗歌是不得不放下了的。他放下了诗歌，并不是他悔弃了自己的期望，他仍是经常的在旁边帮助它的成长，这在他的许多诗歌的作品翻译和论文的翻译之外，主要的还时时散在他的杂文中间，他捶击了“诗歌之敌”（《诗歌之敌》等），对诗歌中的许多不好的现象，与诗歌的发展的前途有害的，都加以指出和劝喻（《辱骂和恐吓决不是战斗》等）以及对一些恶劣“诗人”的愤怒和指斥等（《漫兴》，《诗和预言》等）。这些，即是他尽力于诗歌的工作，但在他的工作中不成为主要的，为了负责和郑重，鲁迅先生便不复当作正面的提出了。

第二，关于旧诗，鲁迅先生实在是不愿让别人看成他的了不起的工作，怕的是那样会变成诗歌的成长的阻碍。这，正如他反对人说称许他的古文修养，以阻碍白话文的成长一样。在一九二六年《写在〈坟〉后面》中，他便这样说：

> ……别人我不论，若是自己，则曾经看过许多旧书，是的确的，为了教书，至今也还在看。因此耳濡目染，影响到所做的白话上，常不免流露出它的字句，体格来。但自己却正苦于背了这些古老的鬼魂，摆脱不开，时常感到一种使人气闷的沉重。就是思想上，也何尝不中些庄周、韩非的毒，时而很随便，时而很峻急。孔孟的书我读得最早，最熟，然而倒似乎和我不相干。大半也因为懒惰罢，往往自己宽解，以为一切事物，在转变中，是总有多少中间物的。……当开首改革文章的时候，有几个不三

不四的作者，是当然的，只能这样，也需要这样。他的任务，是在有此警觉之后，喊出一种新声；反因为从旧垒中来，情形看得较为分明，反戈一击，易制强敌的死命。但仍应该和光阴偕逝，逐渐消亡，至多不过是桥梁中的一木一石，并非什么新途的目标，范本。跟着起来便谁不同了，倘非天纵之圣，积习当也不能顿然荡除，但总得更有新气象。以文字论，就不必更在旧书里讨生活，却将活人的唇舌作为源泉，使文章更加接近语言，更加有生气。至于对于现在人民的语言的穷缺欠乏，如何救济，使他丰富起来，那也是一个很大的问题，或者也须在旧文中取得若干资料，以供使役，但这并不在我现在所要说的范围以内，姑且不论。

我以为我倘十分努力，大概也还能的博采口语，来改革我的文章。但因为懒而且忙，至今没有做。我常疑心这和读了古书很有些关系，因为我觉得古人写在书上的可恶思想，我的心里也常有，能否忽而奋勉，是毫无把握的。我

> 常常诅咒我这种思想，也希望不再见于后来的青年。去年我主张青年少读，或者简直不读中国书，乃是用许多苦痛换来的真话，决不是聊且快意，或什么玩笑，愤激之辞。古人说，不读书便成愚人，那自然也不错的。然而世界却正由愚人造成，聪明人决不能支持世界，尤其是中国的聪明人。现在呢，思想上且不说，便是文辞，许多青年作者又在古文、诗词中摘些好看而难懂的字面，作为变戏法的手巾，来装潢自己的作品了。我不知这和劝读文说可有相关，但正在复古，也就是新文艺的试行自杀，是显而易见的。

鲁迅先生反对这种复古的倾向，虽然他自己是在一个旧的传统中出来，而且因为忙迫于当前的战斗，在诗歌上略略放松了，但他是不愿意青年们走没出息的复古的路的。

第三，中国的诗歌自新诗运动以来，它的发展的路线是非常庞杂而芜乱的。最初，鲁迅先生介绍了诗歌的浪漫主义，这是为中国文化的新生和反封建黑暗的设想。但是，嗣后诗歌的发展路线既然那样庞杂而芜乱，有的简直在诗歌的一切还未能好好的展开时就纷起把西洋诗歌形式之类想来随便套上中国的诗歌，其实，中国的诗歌，不幸就在这些地方被“勾朕绝萌”了。开头的想取巧以英诗格律来规范中国新诗，一下子就成功起来的是所谓“新月诗派”，鲁迅先生特别对诗人徐志摩之流是非常憎恶的。他曾在《音乐》中描摹了那种腔调和精神：

> ……慈悲而残忍的金苍蝇，展开馥郁的安琪儿的黄翅，唵，颉利，弥缚谛弥谛，从荆芥萝卜玎琤淵洋的彤海里起来。Rr-rrr tatata tahi tal无终始的金刚石天堂的娇袅鬼茱萸，蘸着半分之一的北斗的蓝血，将翠绿的忏悔写在腐烂的鹦哥的狗肺上！你不懂么；咄！吁，我将死矣！婀娜涟漪的天狼的香而秽恶的光明的利镞，射中了塌鼻阿牛的妖艳光滑蓬松而冰冷的秃头，一匹黯黮欢愉的瘦螳螂飞去了。哈，我不死矣！无终……

从新月派而下，诗歌的种类愈繁，却也很多的都在愈加往牛角尖钻，这里，与鲁迅先生早年对诗歌的期望是完全相背的了，他的讳言诗歌，该正是对诗歌这种胡乱发展有失望的。

## 六

但是，这些并不使得鲁迅先生完全撇开了诗歌，完全不闻不问。事实上（据许广平先生谈起），他生前是很称许白芒（殷夫）的诗和孙用译的《勇敢的约翰》（裴多斐作）的。只是，以后的诗歌虽然展开得很蓬勃，却很少使他满意的罢了。

我们可以知道的，是他晚年对诗歌的意见，说得很简略，但那却都是针对着当前的诗歌而发的。现在我们还应该从两封书信上摘录下来，给从事诗歌工作者参考：

——要我说诗，真如要我讲天文一样，苦于不知怎么说的，实在因为素无研究，空空如也。我只有一个私见，以为剧本虽有放在书桌上的和演在舞台上的两种，但究以后一种为好；诗歌虽有眼看的和嘴唱的两种，也究以后一种为好；可惜中国的新诗大概是前一种。没有节调，没有韵，它唱不来；唱不来，就记不住；记不住，就不能在人们的脑子里将旧诗挤出，占了它的地位。许多人也唱"毛毛雨"，但这是因为黎锦辉（黎明晖——锡注）唱了的缘故，大家在唱黎锦辉之所唱，并非唱新诗本身，新诗直到现在，还是在交倒楣运。

我以为内容且不说，新诗先要有节调，押大致相近的韵，给大家容易记，又顺口，唱得出来。但白话要押韵而又自然，是颇不容易的，我自己实在不会做，只好发议论。（一九三四，十一月复窦隐夫信）

——因为我对诗是外行，所以未能即复，后来就被别的杂事岔开，压下来。

现在也还是一样，我对于诗一向未曾研究过，实在不能说什么。我以为随便乱谈，是很不好的。但是这回所说的两个问题，我以为先生的主张，和我的意见并不两样，这些意见，也曾零零碎碎的发表过。其实，口号是口号，诗是诗，如果用进去还是好诗，用亦可，倘是坏诗，即和用不用都无关。譬如文学和宣传，原不过说：凡有文学，都是宣传，因为其中总不免传布着什么，但后来却有人解为文学必须故意做成宣传文字的样子了。诗必用口号，其误正等。

诗须有形式，要易记，易懂，易唱，动听，但格式不要太严。要有韵，但不必依旧诗韵，只要顺口就好。

（一九三五，九月复蔡斐君的信）

## 英国作家告中国人民

英国诗人 W.H. 奥敦和小说家 C. 伊休乌德，去年曾来华巡视各战场，归国后合撰一书，题曰《中国之旅》（Journey to War），闻已有人译出。他们为了响应中国抗战，曾特选短文一篇，正告华人，内容大略如次："我们要告诉你们整个中华民族，英国正有着不少的人士认识你们的英勇的斗争，正是世界各国为自由和正义而进行的斗争之一个主要部分。我们知道，你们的战斗不是为着中国，同时也是为着我们。……我们立誓要竭力援助你们……在这种战争中，胜利是一定属于那些忍耐力最强的人们。不单是为着你们，而且为着我们，我们祝望着你们仍坚信你们所持的正义，无论形势显得怎样不利，你们一点也不要气馁地战斗下去，打出一个胜利的结论来。这就是敝国每一个优秀儿女的希望”。（寒）

# 鲁迅与俄国文学

苏联V. 罗果夫作　见译

伟大的中国作家鲁迅，是新中国文学的创始人，也是俄国文化在中国的热心的传布人。

鲁迅直到他的生涯的最后一天，没有停止过把俄国文学翻译成中文。然而不仅由于这一点，表示出多才多艺的鲁迅和俄国文学保持着密切的关系而已。二者之间的关涉还要深一层呢。因为他爱读俄国文学，甚至在他所有的作品上，也有过强烈的影响。

鲁迅不懂俄文。他的一些非常亲近的朋友——批评家胡风，女作家萧红（轰动一时的《生死场》的作者），日本反法西斯作家鹿地亘告诉我说，他生前最大的希望是能够由原文通读高尔基的许多作品。作为一个伟大的广博的言语学者，鲁迅曾经三番两次计划学习俄文，可是，中国文学家的繁重的生活与战斗员的狂风暴雨般的活动使他不能好整以暇，经常不断地学习。最初，鲁迅是由日译本熟悉了俄国文学的。他的日文程度非常好，时常用日文写短篇小说或杂文。他的许多译文，都是间接由日文重译，再参以英德译文，精密地下了一番校戡的功夫的。在鲁迅私人的书房里，同一种俄国作品便可以找到世界上许多种语言的不同译本。

鲁迅是研究托尔斯泰作品的通人，但质直地说来时，则和果戈里、柴霍夫、高尔基诸人起着不可分的文学底的共鸣。政论家的鲁迅之见解，是在俄国马克思主义者（列宁、蒲力汗诺夫、高尔基及卢纳卡尔斯基[1]的影响下面发展起来的。

当鲁迅倦游东瀛归来的时候，中国文坛上正流行着安特列夫和阿尔志跋绥夫。到这时为止，鲁迅译了安特列夫、阿尔志跋绥夫、迦尔洵、契里诃夫、柴霍夫、高尔基诸人的作品。然而直到后来，和鲁迅的文学进修始终不懈地联结在一块的，则只有柴霍夫和高尔基。

[1] 鲁迅翻译过蒲力汗诺夫的艺术论，卢纳卡尔斯基的文艺与批评，Lvov-Rogachevski 的论文——《托尔斯泰柴霍夫与新文艺》等。

我们不妨断言，高尔基是托庇了鲁迅的力量，才得以成为在中国最受欢迎的外国作家之一人的。在题名为《俄罗斯的童话》的一卷高尔基作品集的小引里面，鲁迅曾经写道："高尔基这人和作品，在中国已为大家所知道，不必多说了。"（一九三五年八月五日）在高尔基惨遭法西斯走狗的毒手的忌日那天，鲁迅领导下的上海作家协会打了一个简短的电报到莫斯科去："联邦和全世界的伟大作家的死，对于我们是一个最痛苦的打击。"在这句简短到无可再简短的话里面，表显出来的不仅是中国作家协会以及它的组织人、领导人鲁迅等少数几个人的哀悼，而且也是全中国人民一致爱戴高尔基的一种悲痛的凭吊。

柴霍夫和高尔基给予鲁迅作品的影响，说明了他在中国会得到"中国的柴霍夫"、"中国的高尔基"这些雅号的这个事实。在鲁迅遗下的许多像随感录一类短小精悍的作品（收集在《野草》、《热风》等几个集子里）里面，不自觉地流露出柴霍夫风的情调。而在读着鲁迅的不朽的小说《阿Q正传》的时候，则又必然会叫你想起光辉夺目的戏曲《在底层》。

柴霍夫的影响表现在鲁迅早期的作品里，限制了他的作品的外形。高尔基的影响却表现在鲁迅的更成熟的后期，以致把这位新中国文坛上前无古人后无来者的大师，这位坚忍不拔屹然定立的战士推送到民族统一战线上来。

鲁迅译的《死魂灵》在中国的读者层里激起了普遍的反响，书刚出版，洛阳纸贵，大有不胫而走之势。鲁迅借其传神之笔，能够把俄国农奴制社会的生活相如此精确、如此生动地传达给中国的读者，以致使中国人在读着《死魂灵》的中文译本的时候，竟可以从乞乞科夫们、泼留希金们、科罗皤契加们、诺士特列夫们、玛尼洛夫们的生活历史中发见中国封建地主社会的面影。

鲁迅对于伟大的俄国讽刺作家萨尔蒂珂夫 - 锡曲德林（双姓）也感觉莫大的兴趣。鲁迅曾把《某市的历史》中的一段译成中文，但他没有能够像理解果戈里的幽默那么深刻地来理解萨尔蒂珂夫 - 锡曲德林的辛辣严峻的讽刺。

中国共产党领袖毛泽东氏在纪念鲁迅逝世一周年的群众大会上说过：他首尾一贯地坚决地进行着反帝反封

建的斗争。鲁迅暴露了崩溃过程中的封建社会，对于社会制度的短处以及帝国主义的无理压迫痛下针砭。他用幽默的笔触描画了黑暗势力。他是光芒四射的言语的艺术家。鲁迅翻译的苏维埃作家的作品有：A. 雅各武莱夫的《十月》、A. 聂维洛夫的《我要活》、绥甫林娜的《肥料》、N. 略悉珂的《铁的静寂》、A. 法兑耶夫的《毁灭》等等。此外，他又翻译过D. 孚尔玛诺夫、K. 裴定、M. 淑雷兼珂、V. 理定、L. 班台莱耶夫诸人零零碎碎的许多作品。

鲁迅写过不少评骘苏维埃作家的短篇论文。听取他关于苏维埃文学的意见，是很有趣味的事，可是遗憾得很，这些文章没有完全搜集起来，很少为人们所知的。鲁迅为环境所拘囿，不得不采用笔名，现在已经确定了的已有七十七个之多。他大部分关于苏维埃文学所发抒的意见，便是用这些已知或未知的笔名写成的。

前进作家都团聚在伟大的导师鲁迅先生的周围。

“我们纪念他，”毛泽东同志说道，“不仅因为他是好的作家和天赋的文学家，并且因为他厕身于民族解放运动的前卫，把他全部的力量贡献给革命斗争。”

# 熬持·搏击·纪念先生

白鹤

在这到处听闻乞降声的目前，回想起鲁迅先生的一生的风范，不禁使人感慨万端！先生别我们而逝已三周年，在这三年中正是我民族经历着历史上未有的浩劫，我同胞遭逢了最艰苦的命运的时期，世人都在引领待望新中国的早日诞生，然而仿佛刚刚碰到了难产，产妇一直在阵痛中，而婴孩却迟迟未见落地。在这个时候，情势的绝对严重无待分说，一有差池，即成永憾，不但新婴夭折，且将使产母死亡。此时而欲借重第三者的协助，固亦属必要之图，然而最主要的还在于产妇的自身，她若不能多熬一些阵痛，她若不能有清醒的意志去克服这一时的苦痛，无疑地会把一种必然的经历造成一种偶然的变端，结果如何不言而喻了！我们，苦难中的同胞们，正犹如这临产的产妇，我们正为了新生的婴孩在搏斗，同时为了自身的安全在挣扎。

鲁迅先生正是一位熟知产妇常识的医生，而他自己又是一个伟大完备的“产妇精神”者。从他遗留给我们的数十册著作里，正刻划出一个标准的产妇姿态，他仿佛曾写下了一部产妇的百科全书。

他告诉一切产妇们两句必要的拳经：积极方面要不间断的奋斗，消极方面要最大的熬持。不间断的奋斗所以促婴孩的从速产生，最大的熬持所以防偶然的变端。

然而在先生的笔杆随了他的永逝而搁置的三年以后，我们却目睹许多产妇们背弃了先哲的遗训，将自身的安全和婴孩的生命都出卖给“死亡之神”，对于这些人，其自身的安全固不足惜，然于未生的婴孩却是永不可恕的罪人！

现在，我们正缺少为一切恶魔所战栗的如先生的笔锋了，因此一切鬼魅魍魉竟敢摇簧鼓舌于阳光白日之下，希图淆惑人心，陷新中国于流产。尤其在几个特殊的区域里，其猖獗暴戾的行动，不一而足，而社会舆论，受其钳制，文人笔端，未见声讨，姑息养奸，古有明训，先生地下有知，亦必怒发而冲冠。先生平生嫉恶如仇，对于这种叛国家卖灵魂的变节者，夙不知有宽恕，惟有奋力搏击，制之死命而后已，即已投井，亦当下石，虽已落水，亦必再击，此种贯彻之精神，实为我辈所应楷模。当此先生三周年之时，正中国民族遭逢最艰苦的阶段，能熬持目前的苦难，合力搏击敌人，此为后方人士应尽之责，亦即纪念先生之道！

九，二十八。

# 长明灯（鲁迅原著）

容纳执笔
钟望阳·小芸·笪宗·殷忧·容纳集体改编

人：

灰五婶　茶馆店老板娘。

三角脸
方头
阔亭
庄七光
（以上）豁达自居的青年人。

他　所谓邪祟附了体的子孙。

郭老娃　年高德诏的蛰居人。

四爷　“他”的伯父。

赤膊孩子
大孩子
女孩子
癞头疮
（以上）贪玩的孩子们。

景：春阴的下午，吉光屯的社庙门前，空气又有些紧张了。庙前有四个孩子在玩儿，灰五婶正急急地挤过这群孩子走来，庙门内，恰有四人边说边走的跨出庙门，孩子们被驱散。

灰五婶 （气急喘喘地）嗳，怎么啦，可曾真的被熄掉了？

三角脸 （一面回答的是）：你灰五婶也赶来了？

方头 啊，灰五婶也会出来的？真难得，真难得，今天该是灰五婶出来走喜神方？

灰五婶 嗳，今天又不是大年初一，走什么喜神方啦？

阔亭 哈哈，那么今天该是什么黄道吉日。

灰五婶 嗳，今天偏是“不宜出行”。

庄七光 你灰五婶是翻了历本才出来的？

三角脸 怎么？你不知道吗？我们吉光屯里头有身份的人，平时都不能轻易出外，像我们就是所谓败家子了！

灰五婶 嗳，三角脸，你说话……我灰五婶那儿是有身份的人？

阔亭　哈哈，灰五婶是我们这儿茶馆店的老板娘，没有身份，那么谁才有身份呢？

灰五婶　嗳，像郭老娃，像四爷，才是我们这儿真正有身份的人！话可别扯开去了，我今天是特地赶来的，要不是这事情紧急，我真不该出来。

方头　为什么呢？

灰五婶　嗳，你忘了历本上注着今天是“不宜出行”吗？其实我也不识字，还是临走的时候，想起了应该翻一翻历本，嗳，又特地去叫隔壁的老老看了一看。

阔亭　哈哈，怕是老老看错了。

灰五婶　嗳，阔亭，别开玩笑，我问你，可曾真的被吹熄掉了？

三角脸　我们正在商量这个问题。

方头　我们刚才到庙里头的大殿上去看了一看。

灰五婶　（聚精会神地）嗳，看了一看，可曾看见被他吹熄了？

庄七光　吹熄？没有这么容易吧。

灰五婶　嗳，没有这么容易。

方头　可是他发了疯，要吹也得吹的，我们也阻止不了。

灰五婶　嗳，只怕我们阻止不了。

阔亭　阻止不了？

三角脸　你没瞧见他，他那股劲儿真怪极了。

庄七光　哼！……

灰五婶　嗳，怪极了，我说他是怕见正路神道呀！

方头　眼睛里就像放了一把火。

灰五婶　嗳，眼睛里就像放了一把火。

三角脸　说话也是不伦不类，鬼知道他。

灰五婶　嗳，他讲的都是邪祟附了体的鬼话。

阔亭　哼，我说他是在装疯。

方头　他装疯干吗？

阔亭　他装了疯，可以吹熄长明灯，他偏要跟我们作对头。

灰五婶　（怀疑地）嗳，……

方头　他跟我们作对头，简直是没有好处的。

三角脸　平时我就觉得他有些异样，这个人很难说。那么，现在他还是这样么？

方头　（很起劲）听说，还是这样，还是我们刚才在庙里看见的，尽对灯说："熄掉他！熄掉他！"眼光也越加发闪了。见鬼！这是我们屯上的一个大害，你不要看得微细。

灰五婶 （抢着挤进去）嗳，我也早已这么说过啦。

方头 （更起劲）我们倒应该想个法子来除掉他！

阔亭 （捏了拳头，在空中一击，慷慨地。）哼，除掉他，算什么一回事！他不过是一个……什么东西！不过造这庙的时候，他的祖宗就捐过钱。

灰五婶 （非加重语气不可）嗳，他的祖宗就捐过钱。

阔亭 可是现在，他却要来吹熄长明灯。

灰五婶 （很快地）嗳，现在他却要来吹熄长明灯。

阔亭 （很为自己获得了的帮手而高兴）灰五婶，这不是不肖子孙？（又顾众人）我们上县去，送他忤逆！

灰五婶 （乖人不开冲天炮，只是和唱地，否定地。）嗳……

方头 （却一嘴抢了过去）不成！要送忤逆，是要他的父母，或是母舅……

阔亭 可惜他只有一个伯父。……（立刻颓唐了）

（沉默几秒钟。）

方头 （突然叫道）阔亭，你昨天的牌风可好？

阔亭 （睁着眼，看了他一会，没有就回答。）哼哼，……

庄七光 （已经放开喉咙嚷起来了）别扯开吧。……我说，要是吹熄了灯，我们的吉光屯还成什么吉光屯？不就完了么！

灰五婶 （这才插嘴）嗳，庄七爷说的不错，不就完了么？

庄七光 （偏偏将手一阻）灰五婶，你别多嘴！

三角脸　管她，反正你说你的。

庄七光　老年人不都说么：这灯还是梁五弟点起的，一直传下来，没有熄过，连长毛造反的时候也没有熄过……你瞧，啧，那火光不是绿莹莹的么？外路人经过这儿的，都要看一看，都称赞……

灰五婶 （忍不住）嗳，都称赞。

庄七光 （看了她一眼）啧，多么好……（忙阻住灰五婶，让自己说下去）他现在这么胡闹，是什么意思？

方头 （带着藐视的神气）他不是发了疯吗？你还没有知道？

庄七光 （脸上就走了油）哼，你聪明！

灰五婶 （正是机会）嗳，我们别扯开去了，还是谈正经事。嗳，我想，还不如用老法子骗他一骗。

庄七光 （诧异地）什么老法子？

灰五婶 （报复地看了他一眼）嗳，好法子。他不是先就发过一回疯么？和现在的一模一样。那时他的父亲还在，骗了他一骗就治好了。

庄七光 （更其诧异）怎么骗？我怎么不知道？

灰五婶 （倚老卖老地）嗳，你怎么会知道？那时你们还是小把戏呢，单知道喝奶拉矢；便是我，那时也不这样。嗳，你瞧我那时的一双手呵，真是粉嫩粉嫩……

方头 你现在也还是粉嫩粉嫩……

灰五婶 （怒目地笑了）放你妈的屁！方头，莫胡说了。

阔亭 哈哈，方头吃灰五婶的豆腐。

灰五婶 （又白了一眼）嗳，我们讲正经话。他那时也还年青哩，他的老子也就有些疯的。嗳，听说：有一天他的祖父带他进社庙，教他拜社老爷、温将军、王灵官老爷，嗳，他就害怕了，硬不拜，跑了出来，从此便有些怪。

庄七光 （故意）这就怪。

灰五婶 嗳，后来就像现在一样，一见人总和他们商量吹熄在殿上的长明灯。

方头 （胜利地）这不是疯了？

灰五婶 （尽管卖弄自己的见识）所以呀，嗳，他说熄了便再不会有蝗虫和瘟疫，真是像一件天大的正事似的。嗳，大约那是邪祟附了体，怕见正路神道了。

阔亭 哈哈，要是我们，会怕见社老爷、温将军吗？（自负地）是不是？（众人陪笑）

灰五婶 （又尽管卖弄口才）庙门口风大，你们站在这儿不冷吗？嗳，走过一点吧。

三角脸 （早就累了）还是到灰五婶茶馆里去喝壶茶，坐着谈吧。

庄七光 别走，呆忽儿他就要来了，可防着点！

方头 （急急地）那么我到里头去叫老黑，快把庙门关上。（说着就往庙内奔。）

三角脸 （索性多站一会儿）灰五婶，后来怎么样？

灰五婶 （赶紧接上去）嗳，他后来就自己闯进去，要去吹。他的老子反太疼爱他，不肯将他锁起来。嗳，后来不是全屯动了公愤，和他老子去吵闹了么？可是，没有办法……

庄七光 （偏偏还不服）可是怎么骗呢？

灰五婶 （口才伶俐地）嗳，幸亏我家的死鬼那时还在，给想了一个法子：将长明灯用厚棉被一团，漆漆黑黑地，领他去看，说是已经吹熄了。

三角脸 （吐了一口气，不胜感服之至似的。）唉唉。这真亏他想得出呵。

阔亭 （愤愤地）费什么这样的手脚，这样的东西打死了不就完了。吓吓！

灰五婶 （吃惊地看着他，连忙摇手。）嗳，那怎么行！他的祖父不是捏过印把子的么？

（阔亭们面面相觑。）

庄七光 （沉思有顷）其实，除了你男人的妙法以外，也委实无法可想了。

三角脸　（不理会庄七光的话。）后来就好了么？

灰五婶　（又用手背抹去一些嘴角上的白沫，更快地说。）嗳，后来全好了的，他从此也就不再走进庙门去，也不再提什么来，许多年来，不知怎么这回看了赛会之后，不多天，又疯了起来了。

庄七光　同先前一模一样吗？

灰五婶　嗳，同先前一模一样。吃了饭我在茶馆里看见他走过，料他一定又会上这儿来，所以我特地先赶来告诉你们，你们和他伯父四爷商量商量去，还是再骗他一骗好。那灯不是梁五弟点起来的么？不是说，那灯一灭，这儿就要变海，我们就都要变成一条条的泥鳅么？嗳，你们快去和四爷商量商量吧，要不……

方头　（一面急急地吩咐着门内的老黑，一面跨了出来，庙门果真也就关上，便轩昂地站住。）这会子可不怕他了。

灰五婶　我要先回去了，茶馆里没人照顾。（临走时又回头。）嗳，你们刚才的茶账……

三角脸　这回就记了我的账！

灰五婶　哎呀，你从来也没挂过账，怎么今

天？……嗳，好吧，这么着吧，比如，方头挂的账，我就拿木柴在墙上画一个方形，暖，这回子，我得回去画一个……一个三角形了。（说着就走）大家回头见吧！

三角脸　（大叹而特叹）入他！……

（阔亭们目送灰五婶远去，从她去的路上却走来了一个人。）

三角脸　（望着来人的那一方）呵，瞧，他果真来了！（向地上吐一口吐沫）呸！

庄七光<br>方头　}（紧张地）喂，可防着点！

阔亭　（高兴地）哼哼，庙门已经紧关着。

（从那边走来的他，也还和平常一样，黄的方脸，和蓝布破大衫，只在浓眉底下的大而且长的眼睛中，略带些异样的光闪，看人就许多工夫不眨眼，并且总含着悲愤疑惧的神情。孩子们跟在他的后面，叫嚷着。在他短的头发上，被孩子们暗暗地从背后给他放上两片稻草叶，当孩子们向他头上一看之后，就都缩了颈子，笑着将舌头很快地一伸。庄七光深恐孩子们激怒“疯子”，故把孩子们赶跑了。）（阔亭们都互相看着。）

三角脸　（见“他”走向庙门前，终于走上一步，诘问了。）你干什么？

他　（温和地低声说）我叫老黑开门。

方头　（这才跟上去）你叫老黑开门干吗？

他　（依旧温和地）就因为那一盏灯必须吹熄。

方头　（故意）吹熄？吹熄干吗？

他　你瞧，三头六臂的蓝脸，三只眼睛，长帽，半个的头，牛头和猪牙齿，都应该吹熄！……吹熄！

三角脸　我问你，你吹熄干吗？

他　吹熄？我们就不会有蝗虫，不会有猪嘴瘟……

阔亭　（轻蔑地笑了出来）哈哈，胡闹！你吹熄了灯，蝗虫还会得多，你也就得生猪嘴瘟！

他　不。各位要知道，自从有了长明灯后，我们吉光屯上不也曾经有过蝗虫，和生过猪嘴瘟吗？

方头　这是因为吉光屯上的人作了孽。

他　那么前年呢？

阔亭　哈哈，前年，前年还不是为了你要熄掉长明灯，触犯了天！

他　我？

方头　不然我们点它干吗？

他　当初有蝗虫，有猪嘴瘟，或许因为这个，你们才点起了长明灯。

阔亭　哼哼，那正是为了这个才点起长明灯来的呀。

他　可是一直到现在，依旧有蝗虫，依旧有猪嘴瘟，你们还依旧说长明灯会赶走它们。……

方头　当然长明灯会赶走它们的。

他　（不理会别人，只自顾自地说下去。）你们不想一个更好、更彻底的法子来赶走蝗虫和猪嘴瘟，却反而一心一意的信托这没有用的长明灯！可是现在，蝗虫不是越来越多，而猪嘴瘟不也越来越厉害了么？长明灯有什么用呢？

方头　依你说长明灯是没有用了吗？

阔亭　哼哼，简直是真的疯了。

他　长明灯是我们吉光屯上的大害！长明灯一天不熄掉，我们就多受一天痛苦和欺骗！

（众人危惧。）

方头　放屁！

他　所以我说点着这长明灯，反而要有蝗虫、要生猪嘴瘟。

（众人吃惊。）

三角脸　（低声地）他倒也说得有点儿道理。

方头　（眼睛斜视三角脸，而对着"他"。）这，这……这简直是放屁！

他　长明灯永远不熄掉，就永远欺骗了我们，我们为什么不想一个真正赶走蝗虫和猪嘴瘟的法子呢？

庄七光　（壮着胆笑）唏唏！——你这，傻，傻瓜！

阔亭　（大声，敷衍地）你还是回去吧！倘不，你的伯伯会打断你的骨头！灯么，哼哼，我来替你吹熄。你过几天来看就会知道。

他　（两眼更发出闪闪的光来，钉一般看定他的眼。）你吹？

阔亭　（眼光赶紧辟易了）哼哼……

他　（嘲笑似的微笑，但接着就坚定地。）不能！不要你们，我自己去吹，此刻去吹！

方头　（便立刻颓唐得酒醒之后似的无力）此刻去

吹？这怎么行？

阔亭 （更站进一步，慢慢地劝说）你是一向懂事的，这一回可太糊涂了（回头望望各位）。

庄七光 （一唱一和地）阔亭说的不错。让我来开导开导你罢，你也许能够明白。就是吹熄了灯，那些东西不是还在吗？不要这么傻头傻脑了，还是回去，睡觉去（这么说着，向大家看了看）。

他 （忽又现出阴惊的笑容）我知道吹熄了也还在。

阔亭 （哄骗地）哈哈，熄了怎么也会在？那么，你还是回去吧！

他 （但是笑容立即收敛了，沈实地说）然而我只能姑且这么办。……

庄七光 （抢着问）怎么办？

他 ……我先来这么办，容易些。我，就要吹熄他，自己吹（说着就转过身去竭力地推庙门）。

阔亭 （生气了）喂！

方头 （也生气了）你不是这儿的人么？

庄七光 （助威地说）你一定要我们大家都变成一条条的泥鳅么？

阔亭　回去！你推不开的，你没有法子叫它开的。哼哼，还是回去的好！

他　（坚决地）我不回去！我要吹熄它！

阔亭　不成！你没法开！

他　（竭力地推，高声大叫。）开门！开门！

三角脸　你没法开！

他　（转脸向他们一瞥，沈静地）那么，就用别的法子来。

方头　看你有什么别的法子。

他　（只闪烁着狂热的眼光）……

阔亭　哈哈，看你有什么别的法子！

他　（突然爆发地）我放火！

<table><tr><td>阔亭<br>三角脸<br>庄七光<br>方头</td><td>（都怀疑自己的耳朵）什么？</td></tr></table>

他　我放火！（似乎并不留心别的事，仿佛想要寻火种似的走了。）

（沈默像一声清磬，摇曳着尾声，周围的活物都在其中凝结了。但不一会阔亭们就交头接耳，不一会，又都退了开去，两三人又在略远的地方站住了。）

庄七光 （在庙墙外喊着）老黑呀，不对了！你庙门要关得紧！老黑呀，你听见了么？关得紧！我们去想了法子就来。

阔亭 （最先看见那边有人来了）啊，你们看，有人来了，不是四爷和……

方头　啊，来得真好，我们正想去见四爷，哦，连郭老娃也一起来了。

郭老娃 （脸上已经皱得如风干的香橙，一路来，还用手捋着下颏上的白胡须。一面让四爷走在前头，一面放松了胡子，慢慢地说。）上半天，西头，老富的中风，他的儿子，就说是：因为，社神不安，之故。这样一来，将来，万一有什么鸡犬不宁、的事，就难免要到，府上……是的，都要来到府上，麻烦。现在，请你，亲自来瞧瞧。

方头 （恭恭敬敬）四爷！郭老娃！

四爷 （似乎听得，又似乎没听得，只点了一点头。一面也捋着上唇的花白的鲇鱼须，却悠悠然，仿佛全不在意的模样对郭老娃。）是么，这也是他父亲的报应呵。

郭老娃　是的，是的。

四爷　他自己在世的时候，不就是不相信菩萨吗？我那时就和他不合，可是一点儿也奈何他不得。

郭老娃　话，是这么说，话，是这么说。

四爷　现在，叫我还有什么法子？

郭老娃　我想，只有，一个，是的，只有一个。（尽看着四爷的脸。）

四爷　老娃，你不妨说说。

郭老娃　是的，明天，捆上城来，给他在那个，那个城隍庙里，搁一夜，是的，搁一夜，赶一赶邪祟。

阔亭　（凑上去发表意见了）这办法太慢，庙里还有两个人管着灯呢。最要紧的是马上怎么办。如果真是烧将起来，那……

郭老娃　（吓了一跳，下巴儿有些发抖。）什么？烧？

方头　（抢着说）是的，他刚才来过，他说：我放火！如果真要烧起来……

阔亭　（大声）那么，不就糟了！

四爷　真是拖累煞人！这种子孙，真该死呵！唉！

阔亭　真是，的确，该死的。去年，连各庄就打死一个。这种子孙，大家一口咬定，说是同时同刻，大家一齐动手，分不出打第一下的谁，后来就什么事也没有。

三角脸　（怕四爷生气，献媚地）那又是一回事。

庄七光　这回，他们管着灯呢。我们得赶紧想法子。我想……

（郭老娃和四爷都肃然地。）

方头　（抢着说）我想，倒不如姑且将他关起来。

四爷　（微微地点一点头）那倒也是一个妥当的办法。

阔亭　是的，是一个很妥当的办法！

郭老娃　那倒确是，一个妥当的，办法。我们，现在，就将他，拖到府上。府上，就赶快，收拾出，一间屋子来。还准备着，锁。

四爷　屋子？（仰了脸，想了一会。）舍间可是没有这样的闲房。他也说不定什么时候才会好……

郭老娃　就用，他，自己的……

四爷　（忽然严肃而且悲哀地说，声音也有些发抖。）我家的六顺，秋天就要娶亲。……你瞧，他年纪这么大了，单知道发疯，不肯成家立业。

郭老娃　是的，是的。

四爷　舍弟也做了一世人，虽然也不大安分，可是香火总归是绝不得的。……

<table><tr><td>郭老娃<br>阔亭<br>方头<br>三角脸<br>庄七光</td><td>（异口同声地）那自然！</td></tr></table>

四爷　六顺生了儿子，我想第二个就可以过继给他。但是，——别人的儿子，可以白要的么？

众人　（异口同声地）那不能！

四爷　这一间破屋，和我不相干；六顺也不在乎此。可是，将亲生的孩子白白给人，做母亲的怕不能，就这么松爽吧？

众人　（又异口同声地）那自然！

（四爷沈默了。各人相互看着。）

四爷　（在暂时静穆之后，这才缓缓地。）我是天天盼望他好起来，可是他总不好。也不是不好，是他自己不要好。无法可想，就照这一位所说似的关起来，免得害人，出他父亲的丑，也许倒反好，倒也对得起他的父亲。……

方头 （感动地）那自然，可是，房子……

四爷 （慢腾腾地问）庙里就没有闲房？……

阔亭 （恍然）有！有！瞧，进大门的西边那一间就空着，又只有一个小方窗，粗木直栅的，决计挖不开，哼哼，真是好极了！

四爷 （阴笑）好极了！

（众人也顿时都显出了欢喜的神色；阔亭吐一口气。）

他 （远远地来）我放火！我放火！……

阔亭 啊啊，他来了，我们快埋伏起来，只要他一来，我们就可捆住他。方头，赶快，准备好！

（众人四处埋伏。留下郭老娃四爷捋着胡子，假惺惺地叹着气。）

他 （声音渐近）我放火！……

——暗场——

（未到黄昏时分，天下已经泰平，或者竟全都忘却了，人们的脸上不特已不紧张，并且早褪尽了先前的喜悦的痕迹。在庙前，人们的足迹自然比平日多，但不久也就稀少了。只因为关了几天门，孩子们不能进去玩，便觉得这一天在门口格外玩得有趣，吃过了晚饭，还有几个跑到这儿来游戏，猜谜。）

大孩子　你猜，我再说一遍——

白篷船，红划楫，

摇到对岸歇了歇，

点心吃一些，

戏文唱一出。

女孩子　那是什么呢？“红划楫”的。

大孩子　我说出来吧，那是……

癞头疮　慢一慢，我猜着了，航船。

赤膊孩子　（也跟着说）航船。

大孩子　哈，航船？航船是摇橹的。他会唱戏文么？你们猜不着。我说出来吧……

癞头疮　慢一慢。

大孩子　哼，你猜不着。我说出来罢。（指着西厢房的窗）就是：戆大的戆。

小孩子　（指这一方，笑）鹅！红划桿的。

赤膊孩子　怎么又是白篷船呢？

（孩子哄然的笑了起来。）

（突然，西厢房窗口传出一声钢铁样的声音来。）

他　我放火！……

（孩子们都吃惊，立时止住笑声，一齐注视西厢房，又看见：一只手扳着木栅，一只手撕着木皮，其间有两只眼睛闪闪地发亮。）

（沈默，只一瞬间，癞头疮忽而发一声喊，拔脚就跑；其余的也都跑开出去了。）

赤膊孩子　（还将苇子向后一指，从喘吁吁的樱桃似的小嘴唇里吐出清脆的一声。）吧！——疯人！疯人！

他　（余音）我放火！我放火我放火！……

（只看见手摇撼着木栅，钢铁样的声音，一直延长开去。）

——幕——

［此剧因赶鲁迅先生逝世三周年在璇宫剧场（十月二十二日上午九时）演出而改编，不妥之处，在所不免，敬希读者诸君指正！］

# 苏联“文学历”上的鲁迅

十月十九日是中国伟大作家，被称为“中国高尔基”的鲁迅（一八八一年生）的逝世三周年纪念日。

鲁迅是中国现代写实文学的创始者。他把新形式和新题材推行到文学里面去，他为反对只为社会上层分子所御用的旧的、死的文言文而斗争，他开始用清楚明白的，通俗而接近大众口语的文字写作。他的小说集《呐喊》和《彷徨》成为中国新文学最高的成就。

鲁迅曾经论到他自己说：“我开始写小说，目的是在于反映人生，以及帮助改良这[1]人生。……所以我的小说的内容都是我们病态社会的不幸人们的生活。我要讲述他们的疾病与苦痛，引起人们的注意，而去医好他们……”

鲁迅最好的作品《阿Q正传》，已翻成许多种外国文字，给他造成很大的声誉。

鲁迅非但是一个成功的小说家，并且还是一个出

[1] 良这——编者按，此处所引文字出自鲁迅先生《我怎样做起小说来》，但并未严格按原文引用，且原书此处模糊不清，由编者在此加“良这”二字。

众的政论家，他把中华民族的全部最新历史，都反映在他的杂文短论里。他是争取中国人民的民族与社会解放的火热的战士，他是中华民族反日统一战线的热烈拥护者。

鲁迅是苏联真挚的朋友，他不倦不怠的拥护苏联，为苏联辩护，驳斥资产阶级与法西斯的诽谤。

鲁迅喜爱与尊重俄国文学与文化，他认为“俄国文学与文化是比任何其他外国的文学与文化都丰富的”。柴霍夫是他最喜爱的作家，他受柴氏的影响很大。他也爱高尔基，果戈里，托尔斯泰等其他俄国文学的巨匠。他翻译了很多俄国古典作家和苏联新作家的作品。

# 陆默

田青

我们的级任先生是一位外国留学生，他能说一口流利的英语，并且极信奉“上帝”。当然，他到我们这里由外人创办的教会学校来教书，是最适当也没有的了。他的名言是：“学生只要埋头用功，最好是把每一课书都背熟。”我们一级里，都把这句话当做“座右铭”。所以级任先生很“器重”我们。但也有例外的——一个是侯智，一个就是陆默。

侯智只有十六岁，因为年纪小，而且最顽皮，我们就都叫他猴子。他不被级任先生所“器重”的原因，是：时常偷走粉笔到处乱涂。有一次在厕所的门上写：“办公重地，闲人莫入”。给校长先生看见了，一查是我们一级里的，于是，他罚了猴子后，又把级任先生叫了去，警告了一番。就是这样，猴子不被“器重”了。

至于陆默，那是另外的原因。

陆默穿一套旧中山装，破的黑跑鞋，紧闭着嘴巴，眉毛皱在一起。他在开学后的第四天，就同级任先生发生龃龉。那天，级任先生来抄信教学生的“圣名”，抄好了，忽然问陆默：“为什么不告诉我？”

——我没有“圣名”。陆默皱着眉毛回答。

——没有？你家不是都入教的么？

——他们管他们，我可不信教！

——你有什么理由？

——没有什么理由！我不相信那骗人的！

级任先生突然瞪住眼：

——你侮辱上帝！你这……

级任先生去告诉校长，陆默就给记了一个大过。

陆默不但反对宗教，而且也厌恶恋爱。诗人吻波写了首短短的恋歌，马上受到他的不满的批评：

——恋爱，困死人的恋爱！

吻波伸着细长的脖子，耐着心解说给他听：恋爱只要不妨碍工作，只要是建立在真正的友谊上，是没有一点关系的。但他却睁大了眼睛，发怒似的说：

——滚它蛋！那困死人的恋爱！

吻波当面没有说什么，背着陆默，却很生气地揉着手：

——田青，他太主观抹煞我的真理！太主观是对的么？不对的。

是的，有些地方陆默的确是太主观一点。同我们谈起：将来中国抗战胜利后，将是怎样的国家？他不肯承认自己的意见是错的。别人时时被他打断话，给他争先说了。吻波刚在起劲地发表他的意见时，陆默突然说起话来，反对吻波，吻波不理他，只顾说自己的。陆默忍不住了，拼命摇着吻波的两肩：

——停，停！……让我先说！……你这个不对！……不对，让我先说！

吻波叹了口长气，引得大家都笑起来。

——唉！陆默！——吻波揉着手；——你人倒蛮好，只可惜太主观不对的！

陆默立刻红着面孔，眼睛睁得很大，粗声地说：

——什么？你不肯认自己错不也是太主观么？

吻波说不出话；伸着长脖子，只是叹气。

其实，陆默只不过在当面是不肯认错的。我记得：有一次他又同许多人发生争执，是为了讨论关于游击战的诸问题。他主张到陕北进抗大。许多人都被他诘问得说不出话。放学时候，我跨着又大又快的脚步跟着他走。

——陆默！我有个问题弄不清楚，要你解决——我看看没有人同我们走，才低低的向他说：

——为什么一定要进抗大？别处不行么？

——不行！

——为什么呢？

他看了我一眼，带点骄傲地笑笑：

——这你还不明白么？进抗大是要去学习呀！

——那么，陆默！——我知道他的脾气，还是低低地说；——别处也是一样的！我们是要在工作中学习！

他立刻红了面孔，不高兴的白了我一眼，我担心他又要发作了，但他却忽然说了一遍：

——要在工作中学习！……

就若有所思似的垂下头，皱着眉毛，咬咬下唇不响了。面孔依旧有点红。在分别的时候，我又说：“陆默，对么？你细细去想一想。”他微微的摇摇头，但又微微的把头点点。

第二天早上，我在课桌里发见一张字条：

田青：我知道自己错了，你说得很对，我们要在工作中学习。我很感谢你的指正。

我那时拿给吻波看，他看了就去问陆默：“是不是你写的？”陆默见是字条就抢了去，扯得粉碎地说：

——不！不是我写的！

怕羞地，又红了面孔。他还特意走到门房间，向门房要了根火柴，把粉碎的字条烧了。

这样，他有好几天不来睬我，直到，他发起出壁报以后。

这，本是由吻波起首的，因为，他写了许多诗，没人要，所以把这些诗拿到壁报上来发表。但是，他又怕级任先生记大过，就同大家商量。陆默听了很兴奋：

——好！出壁报一定出！有事算我！

吻波也很兴奋：

——陆默，在稿子方面我一定帮忙！诗要么？我有许多诗呢！

陆默又提议每星期六下午开个会，大家都赞成，可是吻波却嘟哝着：

——星期六下午我没有空！星期一不行么？

在问广东人胡大福讨蛋糕吃的猴子，听见了，跳上凳子乱嚷：

——吻波要陪他爱人去看电影！……开会！星期六下午一定开会！……胡大福，蛋糕给我吃一点！

胡大福不肯，然而一失眼，就给猴子抢走了。于是他骂：

——丢那妈！馋痨鬼！

终于议定：出壁报，每星期六下午开会。

陆默向大家拉稿，我同他又和好了。

级任先生知道了这消息。在第二天，雪下得很大，室内也只有二十三度的温度。猴子缩在角落里，看见胡大福，就跑上去挤他，想活活血。吻波袖着两手，长脖子给羊毛围巾遮起来，只是叫冷。级任先生竖起大衣领子，在“休息室”里发怒：

——茶房茶房！……你耳朵到陆稿荐里去了么？叫你怎么不听见，快点去开水汀！快点！水汀！……什么？水没有热！你，你，唉！懒畜生！……

然而，陆默大步的走进校来，级任先生叫他，他站住了。但级任先生挥挥手说：

——去，去！……上课再说。

陆默走进教室，我看他的鼻子冻得血红，跑鞋也给雪水渗透。他皱着眉毛，紧闭着嘴巴，一声也不叫冷。

——陆默！——我轻轻的告诉他，——出壁报开会的事，级任先生知道了呢！

他抖去旧中山装上的雪，冷笑了一声，走了。

上第一课的时候，级任先生扳着脸。砰！敲一下讲台：

——关于出壁报等的事，谁发起的？说出来不罚你们！谁？快说！……谁？……

陆默要站起来，我牵住他的衣角。大家都哑着。猴子战战兢兢地望一下讲台，不敢去看级任先生的面孔，又朝吻波伸伸舌头，长脖子的诗人正在没主意地揉着手，见猴子看他，立刻对他眏眏眼。

——谁？快说！……

陆默突然打掉我牵住他衣角的手，站起来：

——我！

睁大眼睛，面孔涨得血红的大声承认。全教室的人都吃了一惊。级任先生不说一句的叫陆默跟他到校长先生那边去。校长又记了他一个大过，并且写了一封信给陆默的父亲。级任先生很得意，他训诫我们一番。还说：

——你们到校里来做什么的？读书当然是读书……那么你们为什么跟着陆默胡闹？以后不许！你们看朱文华的功课多好，这就是他不跟别人胡闹，而“埋头用功”的成绩……

大家就看住那被级任先生当做我们模范的朱文华，朱文华赶紧挺直背，眼睛看着鼻子，嘴唇一动一动地如在念书。

陆默给记了一个大过后，依旧若无其事地向同学拉稿。

——你真预备出壁报么？

——当然！

——算了罢！陆默，要开除的！

——不！

星期六下午校门关了起来，并且所到的同学也只占全级四分之一，会就没开成。

星期一早上，他到校来，发怒地把大家责备了一顿，又催大家赶快把稿子写好。可是，次日他却不曾来校。

——病了么？

我很担心他。

星期三他来了。我见他眼睛有点肿。

——陆默，你眼睛怎么有点肿？……昨夜失眠么？

——呸！

他样子很不高兴。我又追问了一句：

——那么你哭过了吧？

他脸红起来，皱一皱眉毛走了。是的，陆默说过，哭是懦弱的表示，他最看不起哭的人。我说他哭过了，他是无论如何也不肯承认的。当夜，他来看我，没说什么，只呆呆地坐一会就走了，我送他到弄口，轻轻地问：

——陆默，到底是怎么一会事？说一说不行么？

他皱着眉毛，咬咬下唇不响，过一会，抬起头看看天，天空行着乌云，一个圆圆的月亮躲在云隙后面。他含着莹莹的泪：

——二姊死了！

他低下头不响了。我本想问他几句，一见这样，只得宽慰他：

——不要太悲伤！陆默，冷静一点！……你不是说过么，流泪是懦弱的表示！人是总要死的。

——是的！——他捏一捏拳头：——二姊是给飞机的机关枪扫死的！我记牢这仇恨我不哭！田青，我要报复！……

他不说下去，握握我的手，大步地走了。

星期四那天，级任先生发怒得很，因为壁报出来了。没有地位，所以就用图画钉钉在教室的墙上。

级任先生把壁报扯下来，丢入字纸篓里，写稿的都给骂了一顿，一个人再罚写一百行字。陆默给罚写五百行字，限定明天交，少一个字就不行。墙上钉了几个洞，落了些石灰。

——这要赔偿——级任先生说：——每人在保证金里扣去五角！毁坏公物！

下课时，大家很不平。有的骂级任先生是“刮皮鬼”；有的则说：“他拍校长马屁，是马屁鬼。”吻波只是摇摇头叹气。猴子哭丧着脸：

——诸位！我们触霉头！

明天，大家都交罚写的一百行字。

——你呢？陆默！

——我没有写！

——什么？——级任先生跳了起来；用戒尺拍了一下讲台：——开除你！

——哼！

——你……你这畜生！……

级任先生狠狠地走近陆默，拿起戒尺就打，陆默用手去挡，拍一下打在指节上，陆默气得睁大着眼睛，第二下打下来时，就被他将戒尺夺过来，咬紧牙关，用力折断了。大家看得发呆。

——你……你……这，这，……开除你开除你！……

级任先生拖陆默到校长处去，用折断的戒尺作证。于是陆默给开除了！可是级任先生怒气未消，走进门，看见猴子在写什么，就把写的拿过来看："级任先生卖屁股。"他气得说不出话来，狠命拉猴子的耳朵，又用食指节敲他头。猴子痛得哭了。大家不敢响。

——你们都反对我！侮辱我！好，好！哼！让我搜一遍。

费了半个钟头的时间，搜出了许多侮辱他的东西，计开：吻波的口香糖一包，情人照片一张；胡大福的蛋糕二块，早茶饼干一袋；梁顺明的电影明星照片多张，包括中国，都是女的。——统被没收。只有我的一本刚向朋友借来的《论持久战》同猴子问胡大福讨东西吃的二封长信被扯碎丢入字纸篓里。

陆默开除后的第三天，他写信给我，说星期三要离开上海了。船要在晚上开行，我于一个落着细雨的黄昏，到码头上去看他。他已在船上了，我寻了好久方才看见他的。

他依旧穿着旧中山装，破跑鞋，皱着眉毛，紧闭着嘴巴。

——我当你今晚不会下船！……

这句话，我只不过随口说出的，但他却认真起来：

——那你太小看我了。我在上海住不惯，到祖国的大地上去呼吸自由空气，我老早就这么想的！而且二姊的仇恨！……

他忽然停住，呆望着面前的雨。我想起他流泪那件事。

——你二姊是宣传队员么？

——不是，是救护队！在前线救护归来的时候，遇见日本飞机就……

我们都想不出什么话可说，就静了一会。但我终于想出来："到什么地方去呢？"回答是："没有一定。"

——你未免太大意了！而且没有同你一起去的人，到内地很难找到工作的！……陆默，这样，说不定要在那面流浪！……

他看我一眼，吃惊似的不响了。眉毛皱得更紧，下唇咬得发白。

——这，……唔，——他有点迟疑，但立刻坚决地说：——我！我情愿流浪！情愿流浪！

雨大了一点，我哼起送别来，可是陆默却说：

——唱一首自由神吧！

唱到后来，我声音有点哽咽，他滴下泪来，却还强作镇定："田青！坚决一点！"时光不早了，我硬着心要走了。他握握我手：

——希望你也投向祖国的怀抱！……

——我一定的！……陆默！别了！……自己珍重！不要畏缩！不要流泪！别了！

他咬着下唇点点头。走到码头上，雨下得更大了。我回过身去看他，他扶着船栏向我招手。

四，十二日夜改三月十七日旧作。

# 春天

严文井

“啰啰啰啰……啊——灵娃！回来喂猪咧！唉！死鬼！啊——啰啰啰啰……”

山谷里的回声也是尖锐的，凶猛的，喊叫的那个女人脸都气青了，因为半天没有人答应她。

“越来越要人命了！你看——啰啰啰啰……灵娃呀！鬼啊！”一边骂，一边一杓一杓给猪添食到槽里，她声音夹杂不清。

不知什么地方，有布谷鸟在轻唱，还时时听见驴子拉长了腔号叫，声音都是怪闷气的，天已热了。

河水活泼的流动，胡渌胡渌作响，偶而有几片冰块顺水淌下，滩地浸湿了，棕黄的沙土上盖着浓厚的白泡沫，一天天变窄起来了。

这些东西现在仿佛都离灵娃很远，他只一心在捕那旋来旋去的金蝇子，当然，大道上的骆驼队同汽车经过时也能引他抬抬眼。

“苏——”一只蝇子从他手里挣脱，飞了，他懒得再捉了，把脸枕到两臂上，俯着躺下了，双脚在枯艾里乱踢，他想起了一点心事。

他想到了他近来的玩伴。

他们都是八路军，连刘文都是……刘文制服盖住了膝头，也神气得很，……还学会洗脸……我这块石头，红红的，一定给他看，他还没有……他没有哥，有没有达达？……他不服人管……

“看灵娃睡觉，屁股朝天哩！”谁在叫。

他跳起来。坡下面歇了几个穿新军服的孩子，喘着气，一担担的水同菜横七竖八的在身旁放着，他们刚休息下来。

“今日人到得可不少哩，比昨天还多。”

大家没有听他的话，金明生一眼发见了他脸上那几抹黑印子，叫：

“又给揍饱了呀，灵娃躲到外边来，哈哈哈哈……”

他脸马上羞红了，骂一声：“肏你妈！”

“昨天哭过的，看他眼泪还没干。”

“肏你妈！你们小鬼挨揍才哭。”

“我们有教育，就不兴挨揍。”

金明生把下巴搁到膝头上，拿枯枝在地上画了一个“打”字，说：“灵娃，这就是打，你哥打你的打，也是你嫂打你的打。”

灵娃背后坐着一个麻子，看见了他手里的一样东西，一块红斑纹的石片，那原是他预备拿给大家看的。冷不防，麻子一下从他手里夺下石块来。

“今天玩一场可不错，这个不坏，我赢你个二十。”

“没功夫。”一个十六七岁的大个子“小鬼”冷冷的哼了一声。

“还我。”灵娃有点急。

“我看。”大个子叫。

麻子就把石头丢给大个子，说声“变”，一转眼，石片就不见了。

“放哪里去了？”

“不见了。”大个子拍拍手，张大了嘴笑。灵娃的眼泪流了出来。

“还他！”刘文跳起来。

“你管我？”大个子气了。

两个小鬼像一对雄鸡样对望着。

“欺人家小娃娃！”

“不与你相干！”大个子推了刘文一掌，刘文几乎倒下去，他咆哮起来。

“推啥？你也不是帝国主义；起模范作用，打人？”

“不要打！有力气打日本去。”两三个小年纪的小鬼都叫了。

大个子退后一步，不做声坐下了，脸红着，只生气，一眼看见地上一副画，是一个乌龟，里面写上四个字：“帝国主义”。他骂起来。

“金明生，肏你妈？你识得几个字！”

“你管？上了课就识字，你别看不起人，这是新社会。”

两个顶小的小鬼站起身。

“我们提议走了，别光讲漂亮话了，菜都要凉了。”

于是纷乱的，一群小鬼都整理担子。大个子从兜里掏出那块红石子，丢在灵娃脚边。他们吵嚷着，唧唧喳喳往山沟里去了。

灵娃看着他们的背影，懒得去检那块石子，好像他们一走，什么都没了滋味似的。

土里爬出一个小甲虫，金绿的壳子，开眼得很，一步一步很艰难，他起了一个戏弄的念头，拾一根树枝去触那甲虫的头，逼得它四面乱爬。

老鸦随风上下飘，呱呱大声叫。

他丢了树枝，不知怎么好，他感觉寂寞起来。

昨天也是一样，小鬼不再停下来玩耍了，昨天他们就挑桶往山沟里送什么饭。“干啥呀？”他问过。答应什么“大伙下地受苦了哩”，什么“开荒”。

山脊上，一片土松了，哗啦啦滚了下来，吓了他一跳。

他记起了哥哥的神气：他老半闭着眼，咬着嘴唇，睁开眼就是在生气，一生气，抓住什么就什么，要打人。仿佛哥哥正拿一条扁担追来似的，虽然明知没有这事，他心里却很不安。

他记起那次从货担上摔破了一个瓷碗，他处处都被拧遍了，他喊叫，稍稍用力挣了几下，于是鼻孔同嘴都给那只大手堵住了，不让透一点气，连眼睛也发黑了。……

他一下又记起了家里的十几头猪，早过了喂食的时候，他害怕起来。

但他并没有往家走，掉过头，反而向沟里的小路走去。他想小鬼都会说会写，现在不知怎么样了，想看看他们。

沟走完了就上山，越过了一个山头，一下子他就看见他们了。

对山上，土地活了，一块块正在剥开，露出新鲜的色泽，大伙人在工作着，小小的身子忙碌不已，像一群蚂蚁。

他不敢过去，就坐下来。

“……加油！加油！……”

“……来吧追上来，后边的！嘿哟！……”

风把人的呼喊吹得清楚起来。再又模糊下去，在人声里掺杂着一片锄头打在土上的响声，一片片土地翻过了，灰黑色的荒土缩减下去，人在灰土的雾里往上挪动。

有些人脱了赤膊，哼唱着，隔一会，就一声细长的哨子，换班下来的人就跑着去喝水。小鬼们都在，散在人当中了，跟旁人一样做事，大模大样的，很神气。他一个个都找出来，刘文在修锄头。嘴里在嚼什么，大个子正低下身拔草，麻子在喝水，两个小小鬼一锄一锄挖得正起劲。

不知为什么，他们总是在笑，在闹，有人说个什么，大家就乱笑了，疯子一样。

“我们飞机！”

“飞机！呼啦！呼啦！”

一堆人最先达到了山顶，又是一阵叫喊，高兴而响亮。

“好玩哩！”他心里赞美起来。

人们都渐渐上到了坡顶，一个山坡大半变黄了。

他分清了他们的小组，他替那只有六个人的一组担心，那里面有刘文。刘文落后了，他着急，他想叫：“乌龟，加油！”像大家的一样，但他没有喊出口。

他找到了一根甘草的枯茎，拿一块石片就在茎下挖起来。

还有什么？这些人都怪和气，欢天喜地的……小鬼们还会识字，多好玩！……人多，多热闹！

他发呆。

一个胖子挺着肚子在那里扭起来，他在跳秧歌舞了，几个休息的小鬼，也做着鬼脸，跟在胖子后面扭，几个女人也参加了，格啰啰只忍不住笑，他的手指使劲往地下挖了一下，也忍不住笑了。

他突然想到了一点什么，心里充满了温暖，他兴奋了。

收工的时候，刘文又看见了灵娃，他正等在路边，他脸放着光彩，结结巴巴说不出什么，半天他说出了几个字：

“我，我……你们要，要不要？……”

刘文没有听清，扮一种外地口音问：

“什么？”

他小声音再说一遍，手握得紧紧的：

“我来你们这里，参加八路军……”

一九三九，五，五完成

# 徘徊

司徒宗

从外操场传来一阵“跶跶”的脚步声和“嘻嘻哈哈”的笑语声，张先生的头脑似乎有些昏沉。眼前堆着的一叠学生的课卷再也没有心绪看下去了，手头的一枝红笔向桌上一掷，恨恨地站了起来。

“有鸟用，这批家伙！”

真的，这批“家伙”有什么用！天天“一二”“一二”的喊着，“卧倒”“瞄准”，装腔做势的，怕一枝枪真压上他们肩头时，站都站不稳哩！

张先生为这“畸形”的事痛心。自从这批“家伙”借了这里的操场天天傍晚来“徒手训练”后，张先生不知发了多少次的脾气，办公室里也常常听到拍桌子的声音。同时，食指也会常常指上同事的鼻尖：

“你说，你说，真是‘天晓得’！这么个紧急关头，还是‘装腔做势’，你说，你说，——唉！……”

兴奋渐渐消褪以后，张先生颓然倒上藤椅，双手蒙住了脸孔，眼眶里似乎浮上了一阵泪水。真的，在张先生真想痛哭一场！报上天天送来的许多消息里，从“胜利”的字行间，在他独个儿推敲研究之后，会发现许多阴影。从这里，他固执的相信是不能真真动员民众的惨果！但是，这里接近前线的后方，还是“装腔做势”，“摆场面”，“做形式”；妈的“徒手训练”，贴红红绿绿的标语，开一个民众大会，嘻嘻哈哈的闹一场；妈的，等着鬼子来放火杀人！

义愤充塞了张先生的心头，性情也跟着一天暴躁一天；对这第二故乡的小镇，对这三年来相依为命的学校，张先生已经失去了希望。他不能再爱这地方，再爱这学校，甚至对一群朝夕相伴的孩子，也来了一层厌恶和仇恨；这还不是一群未来的小亡国奴！

“啊！笨胚！你们是一段木头吗？对我，你们简直是一段木头！不说一句话，不动一动。没有一些‘反抗性’——我要你们反抗呀！合理的反抗知道吗？——

哼！简直是奴隶成性！没有一个人敢说一句反抗的话，服从，服从，真是一群未来的小亡国奴！哼！哼！……”

在这样的场合里，最使张先生痛心和愤怒了，他圆睁着眼球，“拍拍”地击着教桌；端坐在下面的一群孩子，简直成了他的仇敌！是仇敌呀！不知反抗的“顺民”，是国家的罪人，也是张先生的仇敌。

然而这一群孩子更呆呆地了，有几个前排的小女孩子，简直在瑟瑟的抖。孩子在担忧老师的拳头会落到他们的头上；孩子在怀疑老师吃醉了酒，或者是赌输了钱；孩子只听到“反抗”，“小亡国奴”和击教桌的“拍拍”声。

还有什么话好说，张先生简直不愿意再讲下去了！他相信环境的力量是太大了，简直有些不可思议；“乌烟瘴气”的环境里，横竖不会展开伟大的场面，不会产生伟大的事迹。算了，向这般“笨胚”，生什么大气！还是“做一日和尚撞一日钟”，过一天算一天吧！

然而，张先生非常痛心了！张先生的心片片的碎了！捧了教科书回到办公室里，桌子上又发出“嘭嘭”的两响。

什么都懒得动手，学生的簿籍已经堆积了一桌子；

同事们兴高采烈的集会，贴壁报，练歌咏，只是增加他厌恨和悲愤；徒事形式，不切实际，这是亡国之象！因此，他为要给这批人一些“教训”，有时甚至希望鬼子早些来吧，让这批人尝尝“徒事形式，不切实际”的滋味！

“唉！我消极了！不给你积极的时候，就只好消极了！然而，唉！我真是多么痛心呀！……”

于是乎，他为了减少心中的郁闷，留得健全的身体，以作将来应用起见，他就回复了饮酒。当第一次拖了王老先生坐上酒馆的时候，他颇有感慨的说：

“老先生，你是知道的，我现在消极了！抗战发动后立誓戒酒以来，我真太苦痛了！现在，我开戒了！我开戒了！我要让酒醉来减少我的痛苦呀！”

一杯满酒直向肚里灌去。空酒杯落上桌头的时候，眼眶红红的，似乎又孕着一包泪水。

老先生不禁一声叹息：

“是呀，国家总是被这般小子干糟！跳跳唱唱的，整天不让学生好好儿读一些书！现在再不读一些中国书，将来怕要不能读了！何况，读书又是立国之本！”

这也是一串格格不入的说话，张先生险乎又跳了起来，拳头也几乎又落到桌上。然而，他已经消极了！他并不要拖这位一向不入眼的老头儿到酒馆里谈国事，他原是要来以酒解愁呀！也可以说给四周的许多“敌人”一些“消极”的“报复”呀！因此，他向对方一个鄙视，接连的灌下三杯酒去。

老先生也觉得自己的说话或者有些扫兴，于是把筷头上的一块鸭子送到了嘴里，赶紧接下他的话去：

“其实，这般小子的热心，也真够人佩服！清早起来几乎忙到晚上，饭也没有好好儿吃！像我，哑，究竟老了！竟提不起这么大的兴致来！……”

这简直有些恶心，张先生再也耐不住了：他像用命令的口气，暴躁的喊：

“老先生，我们不要谈这些了！不能够吗？我们不是有许多别的话可以谈吗？”

于是乎，谈到了酒，鸭子，也谈到了城隍庙里的善男信女，昨晚摸牌时的“中”、“风”、“发财”。老先生本来敷衍得有些苦痛，这些才配胃口；酒也就一杯一杯的灌下去，唾涎在空气里飞溅，脸孔也就慢慢儿红了起来。

从此，张先生就天天以酒解愁；每当外操场上送来一阵“趾趾”的脚步声后，总是恨恨地从案头站了起来，赶紧逃出了校门。

这天，张先生摇晃着身子回校的时候，心里更觉得烦躁，原因是省城的一个中学撤退到这小镇里来了。

“总是退！退！真不知要退到什么地方才罢休！”

恨恨地踱到了办事室里。例外的，今天的办事室里竟冷清清的没有一个人影。而且，许多的桌子上都还摊着许多未竟的工作：有红绿的纸条，有正在抄写的蜡纸，有剪碎了的报纸……

“哼！这批要人，又忙到什么地方去了！真不知忙些什么成绩出来！等到鬼子一到，还不是没有一个人影！”

这么想着，张先生的酒意逃跑了一大半。恨恨地把桌上的一只空烟罐向地上掷去，发出了清脆的一响，心头似乎才平静了一些。同时也觉得不该跑上办事室的，应该在月亮的底下，闲步低吟一回，然后躺上床头，何必又到这里来惹气！既然抱“消极”态度，也就得“消极”得彻底一些！

“真的，”他想，“我老张就是这副脾气！要积极吗，就‘痛快’的干他一场！否则，也就‘消极’得彻底！不错，是这样！忸忸怩怩的事情，我老张就不会！”

然而，他忽然在“痛快”两个字上迟疑了。怎样可算“痛快”呢？那当然，“背枪杆子！”——或者，最低限度，最低限度，……

他有些想不下去，酒后的头脑应该昏昏沉沉的。好在现在他并不需要一个答案。四周是鬼气森森的，也就无从积极！如果环境严肃一些，或者“明朗化”一些——他觉得“明朗化”这个词用得最妥贴了——那，“不吹牛，老张就是一个站在国防最前哨的英雄！”

可是，现在张先生是“消极”了！国家遗弃了他，环境又破坏了他的“壮志”，张先生就只有喝酒了！

“唉——”

张先生一声喟叹。把地上的那个空烟罐狠狠地踢向暗角里，才退出了办事室。

在走廊里，听到了从楼头传来的一阵孩子的歌声，是这么的清脆洪亮，张先生爱听这些歌声。在过去，张先生曾经特地邀集几个孩子唱些歌曲给他听听。然而现在，这歌声会使张先生厌恶，倒也并不是歌曲的本身有什么使张先生不满意，就是为了整个的“不切实际”，也厌恶这“不切实际”的环境，也就厌恶这些“不切实际”的工作！

“这批人也配干救亡工作，简直在凑热闹！”

走在楼梯上，“蹬蹬”地，张先生的脚步特别加重，他要孩子接受他的暗示；果然，当他推开房门发出“碰”的一声重响后，间壁的歌声骤然停止了。接着是一二句低微的轻语，一阵“索索”的步声，然后，一切都归于沉寂。

“真是没有办法的奴隶！……”

他双手支住了下颚，呆呆的对着窗外的明月出神。他想到今天的月光照临的还是中国的土地，但是谁能料到明天照着的不会是敌人的铁蹄！这真是多够伤心的事！再看一眼熟悉的房间，三年来一步没有离开过，但是谁又能知道将来不会踏上斑斑血痕！也许，一把火，化成了灰烟。

“唉唉！我还是早些离开吧！我真不忍眼看着这惨剧的展开！而且，这里已经不值得我留恋！走吧走吧！……”

张先生伏倒在桌上。

楼梯上起了一阵脚步声，他知道同事们回来了。但是——房门没有关，又要有意外的麻烦了，赶快站起身来，不料一个影子已经塞进他的房间。

是同事李先生。脸色颇憔悴，然而挂着一个愉快的笑影；眼球里似乎在放射着一缕红光，逼住了张先生，使张先生感到有些窒息；因此张先生也就最不愿意和他见面。何况又是一个头等“要人”，张先生更其有些讨厌。

可是有什么办法呀？李先生在笑着开口了：

“吃了酒吧？今天像喝得很少！……”

在端详张先生的脸儿，似乎像一个侦探在探问一个形迹可疑的人。这是有意侮辱，张先生是忍受不了的！

“好吧，要人！我吃我的酒，与你何干！”

“老张，不要生这么大的气！唉！其实——我跨到这房里也是多余的！……”

“哼！原是有些多余！”

“但是我节制不住内心的愉快。我要把好消息报告给一个我认为有为的青年；我却不愿去告诉王老先生。

是的，我一定得告诉他，告诉我的朋友。”

脸上泛起一层红霞，呼吸也似乎有些急促，然而张先生却是这么安静地倒在椅子里。他现在并没有什么要求，他只希望不要看见一般熟识的人，尤其像李先生他们。这样往往会引起他的“义愤”的，也许又要重击几下桌子。

但是李先生像是没有了解，依旧挂着微笑亲切的说：“老张，你知道吗？省中已迁到镇上！”

“喔！原来如此，所以你就节制不住内心的愉快！”

说话的下面拖着一阵冷笑。

“是呀！我愉快！……”

“碰”老张的拳头已经落到桌上，从椅上直跳起来：

“愉快，哼！鬼子到了镇上你就更愉快！”

李先生一阵“哈哈”，把老张按上了椅子，然后轻轻地说：“你呀，就是这股劲儿！我们应该庆幸得到许多新的同志，办事上会给我们许多便利！而且，我们的力量就更将伟大！希望你了解‘点滴’的工作！”

“哼！‘便利’，‘伟大’，‘点滴’，多漂亮时髦的词儿！尽喊吧！喊到敌人到了这儿为止！”

“是的，需要多喊几下的！这儿，敌人迟早会来！但是，我们并不‘为止’，我们还要到四乡去喊！”

“哼哼！”张先生再也不愿多说，“请便吧！”

“但是你呢？”

“我吗？只有——喝酒！……”

泪水充溢在张先生的眼眶里，喉头也有些哽咽。这真是太使他伤心了，把喝酒当作自己的工作！但是，谁能了解呀！谁能了解每天拖了王老先生走出校门时内心的痛楚呀！谁能了解这碎成片片的心呀！

下一天早晨，张先生起来得很迟；对着镜子一照，眼圈儿还有些余红。

虽然已经快到十点钟的时候，但是四周是那么静静的，好像整个校舍就只有他一个人。不错，是星期日，星期日也不该这么静静呀！

突然一片洪大的歌声冲破了静穆的空气，像是礼堂里传过来的，那一定又在举行什么集会了。这是最使张先生厌恶的！还不是么？自从民国十六年以来，不是常在各处闹着这玩意儿吗？然而，闹着，闹着，竟把敌人闹到了腹地！哼！——唉……

张先生的头脑有些昏沉，“此处不能再留”的意念，又在他的心中活跃。长此下去，会使自己神经错乱。也许竟至自杀。真的，还是离开吧，离开吧！“现在既没有冲锋陷阵的机会，难道不能待之将来吗！”他想，“让事实给这批徒事形式的家伙一个教训再说吧！”

然而“冲锋陷阵”这四个字掠过他的脑际时，全身似乎起了一阵颤战，这时他又像是太陌生了！事实原是如此，一个英勇的战士原不一定要握枪杆子的！只要——环境“明朗化”一些，工作得实际一些；不要再有徒手训练的壮丁；也不要整天开会，写标语，唱歌！

不错，是这样！久已消沉下去的心，又似乎有些活跃。他觉得现在应该先为自己将来定下一个工作计划，这是切要的！虽然事情还在未来，但是工作却不能不有整个计划呀！于是，张先生的面上来了一个笑影：中国像已经从他的手下新生了！一队荷枪的勇士在街上巡过，队前是交叉着国旗和党旗；街沿旁的店家门口，挤满了男女老小，每一个脸上都有一个笑意；爆竹声一定少不了，鼓掌声也会自然的雷动；这个时候，该唱一只胜利歌了——然而老李会领导着唱吗？不，这家伙早已淘汰到不知什么地方去了！那时领导着的怕还是自己！虽然自己并不愿意当众太露锋芒来“形式”，可是这已经到了庆祝胜利的时候了呀！……

于是乎，张先生立刻把桌子拂拭一下，从抽屉里拿出了一张信笺，他预备在信笺上草拟他未来的工作计划了。他握着笔，蹙紧了眉头，更吸着了一枝卷烟，看着烟圈一圈圈地在上升。在烟圈里就只有一个个胜利的笑脸！是愉快使他头脑过分的紧张吧，似乎思想总是不能集中。更不客气的，正当这时候，礼堂里竟来了一串响彻云霄的口号声！真是混蛋！喊！喊！哼！用口号去喊退敌人吗？混蛋混蛋！

这环境简直连用脑都不能自由，张先生暴怒的站起身来，拳头落上了桌子，蓝墨水竟溅满了那雪白的信笺。他颓然倒在床上，双手捧住了脸儿，他感到说不出的痛心！

口号声停止了之后，像是到了散会的时候，整个学校就恢复了骚动。楼梯上也就来了一阵阵的脚步声，间壁学生的宿舍里也添上了一片杂乱的声响。拖箱子的，开抽屉的，咿唔咿唔谈话的，中间更夹有一二声尖锐的口号：

“打倒 × × 帝国主义！”

“中华民国万岁！”

简直不能再在房间逗留一分钟，张先生重重的碰上了房门向楼下走去。许多陌生的面孔在他的眼底瞥过，都是这么黝黑壮健，不会错的，准是省中的学生。他站定了，他想找一个来问问城里的情形。虽然相隔只有六七“九”路，但是现在却像非常隔膜。报纸上压根儿就不会有这项消息，何况张先生差不多已经有好几天不和报纸见面了。他痛心，他怕看到“转移新防线”、“固守新阵地”那些消息！

然而，等在张先生喉头那个“喂”字，终于没有落出口来。他觉到向这批几天前早已撤退了的家伙不会打听出什么来的，即使有的也不过是“民气激昂”、“情绪热烈”、“开会”、“表演”、“呼口号”、“贴标语”……这些，张先生早已听腻了。何况，何况问你们这批混蛋吗？张先生决不甘心，换一句话说，就是不屑问的！

向办事室走去吧，离开三尺多路已经望得见一堆黑压压的人头，这样的局面下决没有张先生容留余地。几次的经验告诉他那办公桌一定已经堆满了红绿纸条和油印的纸张，而那张坐椅上至少也已经有两个以上的人占据着。

于是张先生若无其事的转了一个湾，向校门口走去。但是，后面却追来一个呼唤的声音：

“老张！老张！……”

回过头去，是老李，——讨厌的家伙！

“老张，告诉你一个消息！……”

又是消息！老张再也不愿意听下去了，他赶紧用手指按着太阳穴，嘴里接连一串“头痛……”接着是：“对不起，回头再告诉我吧！头痛得要死，让我去透透新鲜空气！”

一个向后转，加速了脚步，有些像脱逃的犯人。而空气里却带来了一个深长的叹息。

今天的街上显得有些冷清清的，间或有几个行人，都是那么匆忙，手里也似乎都提着一些东西。店门也都半开半闭的，有些简直紧闭着排门。这一定是时局吃紧的现象，张先生心里也开始有些恐慌。路过保卫团的门口，那块蓝底白字的牌子也不知到什么地方去了，门紧闭着，两个威武的门岗也不知躲在那儿。恐慌中，张先生又激起一阵愤怒：“这真太不像样了，敌人还没有到，而保卫乡土的‘英雄’已经不见人影！这像什么！这像什么！”

张先生感到非常难过：每一个地方的失守，总是用了“避免无谓损失”而逃避责任！对最后胜利的信念，张先生开始了动摇。早晨一度活跃的心又向深渊中下沉了。

回到校里，他用最大的忍耐找到了老李。

“老李，你们可以走了！”

老李一阵苦笑：“但是你也可以走了！”

“是呀，我早就预备要走！哼！……”

一提脚，一块小石子被踢到操场的角里。

老李注视着对方那张通红的脸，热情浮上了心田，牵住了手，说不出一句话来。

片刻，还是张先生打破了沉默：

“以后，你们准备‘喊’到什么地方去呢？”

放开了手，老李不禁一声长叹：“唉！这又何苦！

老张，我希望你平平气吧！不要单看事情的一面！同样一桩事情因了方法的不同，也会产生不同的结果呀！——我们，省中里的同学，镇上保卫团和公安局的弟兄，都预备退到四乡；就是那批壮丁，也都愿意一起走。所以我希望你也……”

“好，朋友，不要说下去了！我们再会吧！”

一挥手，老张急匆匆的向楼上跑去。

这太使张先生难堪了，简直用鬼话来欺骗！那批团丁警察，平日装威扬武，散到四乡还不是一批土匪！哼！真聪明，也要跟了去“吃大肉！”

平日听到的那些“游而不击”的游击队故事，一起涌上了张先生的脑海。张先生愤恨得把楼梯踏得“砌砌”的响，同时，一阵酸意直冲上鼻尖，几乎滴下泪来。

跨到房里，开始整理行装。一张纸，一本书，对他都像十分依恋，拿起了这样，又放下了那样，心里紊乱到极点。同时他又时时注意到天空中的飞机声，他知道敌人的冲到一定是和飞机配合的。一听到飞机声，就应该向后门出去，在稻地里躲一躲；学校是敌人最恨的，那就一定要来搜查。啊！那些做“形式”的红绿标语简直就是葬送这校舍的刽子手啊！自己的行装呢？啊啊……

虽然竭力在注意空中有没有声响，但是间壁宿舍里的学生却像有意和他为难，继续的歌声却没有一分的间断。

“嗯！这真岂有此理！”

张先生丢下了手中的照相架，跳到了间壁：

“你们这批笨胚寻死吗？还要唱什么歌！”

粗暴的喊声收了相当的效果，一下子整个房间浸入于静默。但是角落里一个正在把被头放到箱子里的孩子，却直起身子来轻轻地说了：“先生，这是救亡歌曲呀！”

接着立刻来了一片响应：“不错，我们唱救亡歌曲呀！”

“笨胚！救亡歌曲！现在不是唱的时候！”

“为什么呢？”

“因为——”

因为什么呢？难道可以说怕听不到飞机声吗？……啊啊！……“总之，因为……不准唱！……”

“不准唱？”孩子们直起了眼睛：晚上，因为要睡觉，但是现在是白天呀！而且，还是临散前最后合伙的歌唱！孩子们似乎学到了“反抗”，所以当张先生回到房里，那断续的歌唱竟成了有规律的怒吼了！

张先生尝到了“反抗”的滋味，简直像一杯难于下喉的苦药。愤怒，悲痛，恐慌，失望，紊乱的情绪，填满了张先生的心胸。

草草的把行李整理完竣。但为了路上的顺利，所有的书籍，差不多全部被遗弃在书架上，而且每一本书上的第一页，都被撕碎在纸簏里，因为在那页上都有一颗鲜明的张 ×× 的图章。

现在，就剩最后一个问题了，就是到那里去？这里，当然毫无疑义的离开，而且决不值得留恋！变了色的土地上张先生就不能有一分钟的逗留，这是早已决定的方针；然而放在他前面的就像只有一条路：回家去！就是那个曾经他唾弃过的家！躲一躲再说吧，难道跟这批混蛋到四乡去胡闹吗？“不，决不！我……我就……”

“到处都是冷乡呀，我向何方归去！”他脑海中忽然浮上了蒋光慈的两句诗，眼泪已经充满了他的眼眶。

忽然，他记起了一个严重的问题，他赶快跑向办事室里。办事室里的长桌子上又围坐着许多人，多数是张先生不熟悉的，而中间也竟有张先生平日不入眼的公安局长和保卫团长。

他不自然的把头点上两点，然而注意到他的像只有一个老李，好在他并不留心这些，他也不去听他们的谈话，他只是赶紧走到教职员履历表前。在桌子上找到一枝墨笔，就把表上张××的一行抹去，同时在“通讯处”一格里，那枝墨笔也来回涂了三次。

“就这样吧！”他轻轻地自语。但是下面的一句话声音却特别提高了：“难道留着一个清白的名字给敌人糟蹋吗！”

依旧没有人注意到他。

只有老李似乎又送他一个浅笑。

二十八年八月十日作完。

# 堕胎

许幸之

宇宙之间，既有日月星辰，
谁能使天地不把万物萌生？
如果人类要永续它的历史，
我相信爱情会在人间永存。

男女青年既经发生了爱情，
谁能教爱情没有它的结晶？
夜合花，既已开放了蓓蕾，
有谁能教蓓蕾不把果实结成？

社会是为了保护人类生存，
为什么又不让人们各自营生？

贫富贵贱各有生存的权利，
为什么一个私见不能保全它的生命？

哦，有一件骇人听闻的惨痛的故事，
在这罪恶的都会的一角发生，
有一对美好的情侣，他们都还年轻，
为了失业和贫苦，把他们的婴儿致于死命。

青年男子，流着豆大的汗珠，
听他的情人在病床上挣扎呻吟，
这是爱情赐与年轻人的痛苦，
仿佛罪犯责备着自己的良心。

他隔着壁门往手术室中静听，
玱琅的刀叉之声，聪耳可闻。
孕妇被麻醉后的长吁短叹，
哦，她正在忍受着残酷的严刑。

长久之间，听不见孕妇的呼吸，

也听不见医生在手术室中的动静，
他捏着一把冷汗在地板上乱走，
他怀疑他的情人，就是断送了她的生命。

忽然，看护启动了客厅的边门，
他怀着热烈的希望向前发问：
“怎么啦？小姐！病人的情形如何？”
看护锁起眉头说：“你还是去问问医生。”

他怀着惶悚的心情走进手术室内，
“怎么啦？医生！病人的情形怎样？”
医生拍拍他的肩头，作安慰的口吻：
“别太难过吧，先生，你去作最后的慰问。”

这时候，他的神志完全失了主宰，
眼看着手术室中躺着两具尸身，
一是被钳子钳断了头颅的婴儿，
一是面如死灰般的他的情人。

他便扑倒在她的怀中轻轻抚问，
她紧紧地闭着眼帘，不能做声，
泪珠滢滢，垂吊在她的眼边，
寡默之中，仿佛对人间怀着埋怨。

他弯了腰，轻轻在她额上印了一吻，
她微微睁开泪眼，对他凝视，
仿佛从这凝视中，寄寓了无限的情思，
然后，她重行闭上眼帘，溘然无声。

他情急地狂呼，狂呼她的乳名，
她虽然心里清楚，但口中已不能反应。
他流着热泪，狂吻她的樱唇，
但她那紫色的唇边，早已僵冷成冰。

此时，他周身的血压全已凝静，
但是，热泪却从眼眶中奔泻，
他的烦恼燃烧着他的心灵，
他开始憎恨，憎恨这罪恶的人群。

他又看见那血肉模糊的胎儿，
躺在血泊之中，他母亲的身旁，
他已经被刀叉切开腹部，
锋利的钳铗，铗断了他的头和手膀。

他躺在血迹斑斑的盘中如同田鸡，
白而又嫩的肌肉如腊制的模型，
两只脚上的指痕已沥沥分明，
那可爱的小腿，长得酷肖他的母亲。

医生向前扶他走出，“不要伤心吧，先生！
纵然是个男儿，这是医院常有的事情，
你的妻子虽然为了小产而死，
这是命里注定，也算是人间的不幸。”

哦，为什么把这无辜的婴儿判处死刑？
为什么要教他的母亲和他一起牺牲？
父母为什么不能养活他们的子女？

一个青年，为什么不能解救他的情人？

啊，也许他将来是个了不起的学者？
也许他像他的母亲一样美丽丰采；
他也许是个英勇有为的民族志士；
不，也许他是为人类谋幸福的天才？

可惜啊，他不该投胎到这黑暗的社会，
不容许他在这不幸的人间存在，
也罢，并非他的父母有心杀害婴儿，
其实啊，杀害他的倒是悲惨的世界。

一九三七年九月二十九日作
一九三九年四月十五日改稿

# 亭子间里

魏金枝

国家在抗战，我们这个亭子间里也抗起战来了。

起初，大概是准备时期，——战争的前夜，虽然紧张，把个亭子间，堆堆叠叠，叠得只剩一线弯曲的走缝；可是还平静。这原因很简单，好在人少。倘要我再说点理由，那就因为我是教书匠，早出晚归的，不常在家，常在家的，就只一个“治内”的老婆。而且，她会向外发展，——去找殖民地。譬如烧饭，移在走廊上，洗衣，到晒台上去。没事时，躺在床上睡睡觉，坐在椅上看看书，床上椅上，原有点空隙，塞满这空隙，原不妨事。有时太清闲了，她还可领个把同居的孩子，同他们搭搭讪，解解闷，增加点热闹。顶成问题的，倒是床椅桌橱之间的走路，笔砚杯壶之间的一个工作场。这，要说是没有，不能说，只是狭得很，小得很。所以走路时，怕会碰头，得挨个先后。桌上呢，光是一块尺来见方的小平原，此外，说句笑话儿，全是高山峻岭，又有茂林修竹，所以要写字，便不能吃饭，要吃饭，便不能写字，照上课一样，得定张课程表。就为此，还得有点揖让的好精神：当老婆快做好菜，我就赶紧收纸笔，我要写东西，她也得马上收碗筷，倘然一怠慢，就会起冲突，闯祸。好在我们都能分工，都能合作。就有冲突，也不多。通常，在早上，我先起来解手、洗脸，吃泡饭，出门做事去；腾出空来，让她也来一下，——解手，洗脸，吃泡饭，也就出门买菜去。她买回了菜，就做菜，吃中饭，饭后，打一个中觉，再看看书。看看四点钟了，往晒台上淘米去。这时候，正是我筋尽力疲地回家，床上是空的，我就去填了这个空，先抽上两根烟，然后打一个盹。打好盹，正是饭熟，我便从床上伸下脚，往写字台的空档里一塞，坐直了身子。她呢，便从走缝的那一端，端过菜来，放在小平原上；把饭锅放在床椅桌橱之间的走缝中，算是分了界，订了互不侵犯条约，——靠床的一边是我的，靠门的那边是她的，不得越界，越界就得罚，——打翻了锅，没饭吃，大家饿肚子。于是她也照样，把身体挨上椅子，把脚伸进桌子肚，动手吃饭。可是吃饭只能吃饭，照规矩，只能动手动口，把碗里锅里的塞到肚里去，要是动起脚来，那就不兴，下面是我们的堆栈，并未保过险，定会打翻塞在桌肚下的醋瓶，油瓶，糖瓶，酱油瓶。而且，它们也是怪合作的，要是你碰了其中的一个，它们便会一动百摇，全体响应。倘来个全家殉节，便会一塌糊涂。花钱去重买，还是小事，你要把它们弄清，那就千难万难。必得先拣个星期日，二个人来通力合作，先把走廊上的炉子移开，送到晒台上去，然后再来搬椅子，热水瓶子，菜篮子。靠门的十七八个“子”撤退了，桌上还有杯儿，盘儿，壶儿，墨水瓶儿，也有十七八个“儿”，才能搬桌儿。算你搬光了，揩净了，还得再照老样，一件件搬进去，照原分寸儿排好，差一分都不兴，它们会争座位。好了，这就得半个星期日。弄得不好，被褥弄脏了，杯盘弄破了，她还得再贴半个星期日去洗，去重买。好在这种祸事不大光临，因为我们练好了；先前有几次，以后便夹紧两脚吃饭，专做上身运动。要是脚麻木了，吃完饭，马路上去踱它半小时，算是运动，又算上游艺场。再不然，看亲戚朋友去，省得他们闯进来，没处坐。但是一进门，又得规矩些，排好队，她先我后，各就各位。她就脱鞋上床，看书也好，睡觉也好，我不管，我就坐在她坐了吃饭的座位上，对着灯，预备点功课，看点书，改点卷子，倦了，向床上爬。

这么过得不久，房里竟开起火来了。一个亲戚，寄放了七八只箱子来，还不算，添上个男孩子。箱子是死的，大不了房里少一点空隙，少一点空气，还可想法子叠：大的，次大的，小的，更小的，叠得碰到天花板。人，是活的，可真没办法。我虽不在家，老婆可就倒了他的霉。他一切不管，你量米，他也跟，你冲茶，他也跟。你想出门，他正从门外冲进来，拿皮球，拿弹子；你想进来，他就巴巴结结的想出去，你叫他等一等，不兴，你得退出去，先让他走。走了不算，他还有他的小朋友，既然玩过别人家，吃了别人的东西，礼尚往来，也得招待下别人，请他们坐，吃点儿糖果。要不然，小朋友们会告诉你："我们请 ×× 吃了酒酿饼吓！""我们请 ×× 吃了橘子糖吓！"你自然还可以装呆，不理睬，朋友们可就会分手，大家不理。没法，只好去买。可是你一出去，他们就不客气，——自由行动。一回来，墨水瓶打翻了，书页撕破了，再不然，嫌地方小，又不平，就爬上床去，把被褥当掩护，你推来，我推去，取的是拉锯式的阵地战，各出死力，向前迈进。既然是作战，冷不来情，不免手上鼻子上，挂了彩。东西是买来了，战士们可还在冲杀，越冲越勇，没工夫接受慰劳品。既是既成事实，没法，只好请各位母亲们来，劝和，赔礼，还晦气点钱，再买东西，做赔款。倘使从此绝交，倒也好，省得再动干戈，——打仗，流血。可是你还未透过气来，小战士们已吃饱了糖果，没工夫再袖手闲坐，要他们闲坐，比挂彩还痛苦。不但如此，还想起凶手们的好处来，——一样高，一样大，一样的兴趣，大人们虽给点儿吃的，总不对劲；于是又偷偷儿的溜了。起先，把手指塞在嘴上，往别人的门缝里去探，看看对手也已止了哭，把手指在打百结，身体向椅子上擦痒，这，他们很清楚，就是个机会，对手也正想屁股不着椅，摸走，于是把手一招，就溜合在一处。不上五分钟，以前种种，早已昨日死，有说有笑，还摸点袋里的剩货，大家分分儿。一句话，挺要好，还闻闻香，把自己的鼻涕沾在别人的脸孔上。无论你有多大的火，想骂，骂不出口，想打，他们先对你痴笑，没办法，只好由他去。但从此，时钟也作怪，变做“不走正路的安得伦”，我的老婆娘娘，便挨到十点钟上街，一点钟吃饭，真正的“从此旰食”。于是，她的中觉也打不成了，书也难得看了。这还不算，和我也发生了大冲突：我想拖着身子进门，不是她想出门淘米，便是他塞在走缝里拍球。我是倦极了，想请他出来，马上爬进床去；他可不疲倦，虽说是“马上”，可不真的“马上”让你，仍旧念着一二三，没拍完。火是有的，按下来，只好软商量，把二个钞，让他买吃去，求一个平安。可是还不兴，我还没打成盹，他却吃完回来了。再叫买吃去，不但得再花钱，还会吃坏他的肚，算了，我打我的盹。他却看在二个钞的面情上，要和你“亲善”，和你攀谈：“天有多么高？”“地有多么厚？”“老虎是什么变的？”“石头有多大年纪？”一句话，尽拣你回不出的问，问不出的重问，弄了个一天星斗，还是弄不清。法子自然还有个，就是和老婆商量，陪他上商场玩去，这，他顶欢迎，但还得我来烧饭，不合算。结果，打了个折扣，还是哄他和小朋友玩去，一两次，还有效，多了，就不灵。好像那位小朋友的爸爸，也正和我一样，想凑这当儿打个盹，不等我们的孩子跨出门，他们倒已登门拜谒。当初，我以为是偶然，仍叫一道去，玩去，可过不了多时，不但我们的打了回票，还添上了两三个小朋友。这很清楚，是我们大人在抗战，把孩子当炮弹，打下去，一面回了上来，不必说，炮弹儿在扶梯上走，只要时候多，会开花，——跌倒，哭，自己心里到底不忍相。何况他们也是人，现在虽然弱小点，将来终究是战士，要他们的命，也得送到真真的前线去，用不着我们自己杀。算了，拍拍胸口，看在抗战的脸上，就不打盹。要不打盹，还得做点儿事，索性让他们一概上床去，来谈谈心。先问问他们："最可恶的是什么？"这是第一课，大概他们的父母都教过，回得很好。再问他们个"为什么？"那可糟，棱起他们的小眉毛，咬他们的小手指，答不上，只是看你。于是我来编故事，买他们的平安；可是日子一久，这就成了例，一见我踱了回来，他们早在门口等你。我就知道，一半儿是他们的爸爸也正回了家，有着人满之患，把势力伸展到我们这个次殖民地上来；一半，他们想听故事。故事，有是有点儿，天天编，可有点不成；何况腰骨也不答应，它会颓下来，简直有千斤重。但还得讲，不讲，他们不由你睡，会哭，会闹，会打翻你十七八个“子”、“儿”，仍还你个打不成盹。只有退让，每天讲两个，索性写在课表上，当正课来上。

这职务，苦是有点苦，但既不会打仗，就站在这个不显露的岗位上吧！

# 灯

应服群

## 一

天色已经黑下来了，然而我怕开电灯。我好几次缩回伸向床头开关的手，我终于倒在床上了。像被苦恼咬啮着良心的刽子手一样，我企图借黑暗的魔手来挡住惨痛的回忆，然而我失败了……

## 二

昨夜，坐在写字台跟前工作得相当疲倦，心想抽烟的时候，我发觉香烟盒子里是空空的了。我一溜烟赶向附近一间小纸烟店，没有关了房内的电灯。当我回到房里的时候，除了一盒“金字塔”香烟外，还在不知不觉中带来了几只小小的灯蝇。

像失踪的小孩找到温存的慈母，像虔诚的信徒看见复活的耶稣，这几只小小的动物齐向明亮的电灯扑过去，在它周围飞旋飞旋，一刻也离不开它，像被磁力吸住了的铁屑。而且跟着时间的前进，这神秘的动物越聚越多，直到电灯上下周围的一大片空间都被它们的队伍占据了。它们活泼愉快地飞动着，永远不知疲倦不怕危险似的飞动着，有些还飞袭我的额头，眼睛，颈项，……仿佛要强迫我离开这电灯光下的写字台似的。

我的工作被搅扰了，我的怒火被扇起了。我把钢笔一掷，顺手抓起一把扇子，狠狠地把这些讨厌透顶的动物赶了开去。然而我一放下扇子，刚拿起钢笔，它们重又聚拢来了。

我更气了。我跳起身来，举起两只不大不小的手掌，在它们密层层的队伍里狠命地乱拍一阵，小小的尸体大都黏在我的手掌上，也有些落在台子上。然而依旧没有一点效果，不知从那里开来的队伍立刻又补充了死者的岗位。

好神秘的动物！

多英勇的战士！

我无奈地停止了屠杀，一动不动地站在写字台跟前，用充血的眼睛注视着，用狂怒的脑袋思索着……

突然，像下了极大的决心似的，我紧咬着牙关跳开一步，把电灯熄了，让黑暗吞没了一切，连我自己。……

然而跟着电灯的重亮，这些讨厌的神秘的动物又出现了，而且仿佛比刚才更多。于是又实行大屠杀，于是又把电灯熄了：这样轮流地干着，一次，二次，三次……

## 三

终于疲倦地倒在床上了。注视着，思索着……

神秘的动物仍在电灯的上下周围活泼愉快地飞动着，永远不知疲倦不怕危险似的飞动着，仿佛在庆祝自己的胜利，又仿佛在嘲笑我的失败。

然而我再没有屠杀它们的勇气，更没有熄灭灯光的心思。一种奇异的联想在我脑子里出现了，它消灭了我对它们的愤怒，引起了我对它们的希望，同时又扇起了我的另一种愤怒，对另一些东西，为了另一种理由……

我闻到自己手掌上的血腥气，我的眼睛从它们转开去了。

白的墙壁盖满了红的血斑，这血斑渐渐淡了，淡了，消灭了，同着陈旧的石灰。一群认识与不认识的老小男女的脸孔，一个接着一个地，从这里显现出来，鲜明得有如银幕上的形像。脸色大都是苍白的，然而每一只眼睛都燃烧着那么强烈的愉快，自信和热情的火焰！

我能听见他们的声音了。

"我们终于到达目的地了，虽然受了那么多苦难，牺牲了那么多同伴的生命……"

"告诉我一点痛苦的经验吧。这对我很有用处。"

"哦，一言难尽！"

"那么详详细细写下来公开发表给大家看看吧！"

"现在还不是时候！"

"那么你们就用沉默来回答自己的苦难和牺牲吗？"

"是的，沉默是痛苦的。然而我们知道：斗争的最后胜利，民族的独立与解放就是我们牺牲的代价。"

声音抖得厉害，苍白的脸颊上出现了不自然的红晕，每一只热狂的眼睛边挂着一大颗发光的泪珠。

“唉，你们……眼泪，眼泪……”

“是的，眼泪，这是痛苦的眼泪，也是快活的眼泪！祖国一天一天退向黑暗，同时又一天一天走向光明。这个矛盾的意义，我们是懂得的。”

声音突然消逝了，脸孔也不见了，像出现时一样的突然。

白的墙壁又盖满了红的血斑。电灯亮着，成群的灯蝇在它上下周围活泼愉快地飞旋，永远不知疲倦，不怕危险似的飞旋。在电灯下边的写字台上，躺着许多被我亲手杀死的小小的尸体。

我闻到自己手掌上的血腥气。我的嘴唇颤抖了……

## 四

夜深了。周围是一片黑暗，一片死寂。然而我不忍也不敢熄灭房内的灯光。

白的墙壁盖满了红的血斑。成群的灯蝇在电灯上下周围活泼愉快地飞旋，永远不知疲倦，不怕危险似的飞旋。

我注视着，思索着……

前楼的房门不知在什么时候无声地开了，一阵脚步走向我的房间。我知道这是谁的脚步。我一滚身跳下床来，冲到门口，一把拉开房门，用一种异样的颤抖的声音说：

“老板娘，对不起，我今天晚上有特别事情……贴你一点电费，三角，五角……让电灯亮到天明……”

八月二十七日

## 荣获政府勋章的苏联名作家

今年苏联文坛上的一件大事，应该指出的是最高苏维埃主席团给全苏文艺各部门的一百八十位作家授勋章的盛况。

荣获此次勋章的人们中间，有著名小说《彼得大帝》

（最近且摄成电影）的作者亚历克赛·托尔斯泰，有以描写哥萨克生活而成名的《静静的顿河》（中译本有两三种，但均未译全）和《被开垦的处女地》（立波译）的作者梭罗诃夫，有描写内战的煌煌力作《毁灭》（鲁迅译）和《从乌台格来的最后一个》的作者法捷耶夫，有长篇名著《寂寞的白帆》和《我——工人之子》的作者卡泰耶夫（Valentine Katayev）。

在戏剧界方面荣获勋章的是：乌克兰的戏剧家亚历山大·珂尼曹克（Alexander Korneichuk）。

诗人之中，青年诗人特瓦妥夫斯基（Tvardovsky），近作《航空战士和他的母亲》（由黄峰译载《文艺新潮》十二期），密哈尔诃夫（S. Mikbalkov），克林摩夫（Y. Krymov），以及犹太名诗人玛尔吉希（Peret Markish），乌克兰诗人铁契纳（Pavlo Tychina），都授得了最光荣的政府勋章。

其他，对于杰出的翻译者和外国文学专家，对于优秀的民间歌人和说书人，也都各颁给了政府勋章。授予勋章者为苏联最高苏维埃主席加里宁，据说这仪式也极其隆重。（寒）

# 纪念一个遇难的人

石灵

说到他的死，似乎没什么值得惊奇。譬如人走路，总有一天要到达他的目的地或暂时休憩的地方。所可惜的，就是他这次的停下脚步，不是出于本愿，而是由于勉强，别人给他安排下一个中途的栈房。

自然，他自己也有责任，比如说，粗心。但除此而外，似乎也就不再有什么该责怪他的地方。至于有一种说法："看吧，叫他不安分呢！"那是属于混蛋的一边，相应不理的。原因是，那个年青人，没有自己的理想，自己的梦？为着找寻自己的梦而碰上了意外，是有资格生活在这时代里的。当然，有一句话也是很要紧的，"什么样的梦呢？"但答案也颇简单，正和许多人一样，他要求自己有一个相当的重量。

不过事情太还原不行，他要求的虽是跟别人一样，自己的重量，但嵌在这外壳里面的内容，却是他自己的。比如说要有重量，先得有钱，这固然是跟许多人的看法一样，但怎样弄钱，他就跟别人不同了。有些人弄了十个钱，对人说：“我一个钱也没弄到呀，我多可怜！”有些人弄了一个钱，恨不能大大小小的报上都去登广告：“看，我一下就弄到了十个钱。”有些人弄不到钱，把口水咕嘟地咽下去，向四周扫一下眼光，看有没有人注意，然后眨动两下睫毛，镇定地说：“我根本就不爱钱，要想有钱，早有了。”有些人抢了你的钱，摆一副狰狞的面孔对着你：“识相点，要明白你是靠着谁活的。”有些人抢了你的钱，还要花言巧语，想尽方法，要你对他叩头谢恩。倘使不，他就要哭丧着脸逢人便告诉：“人心日下了，中国不亡，是无天理，我对他那么好，看他待我怎么样吧。”种种种种。然而说来说去，他倒是怎么样的呢？

我忘了，说了半天他呀他的，他是谁，还没有提出来。让我先介绍一下。

他是我的朋友，说得正确点，是我的同乡，小时的同学。不见面的时间多，回家的时候，偶尔见一面，仅止问两句家常然后各自走开。原因是我们的想头之间，有着相当的距离。虽然我也并不是没有要求自己重量那种年少的自尊心，但藏在那相同的外衣底下的血肉不相同，也就无从谈得来。可是他的行动，过活的情形，我却知道一些。这就因为我只有那么几个可怜的同学！

他的哥哥是个白相人，时时以上海的某某自诩，但据我看倒是个瘪货，因为他不但从没有建过白刀子进去红刀子出来的伟业，而且我看他永远不会，也不敢朝那上面想。我的这同学似乎并不预备走他哥哥的路，他走动过衙门，终于因为不懂得刀笔，自动地放弃了；他想混到绅士群中去，做个小角色，混不进；他想入党，因为有许多事不会，人家不收。一个人连衙门都不会走动，连绅士的小角色都做不来，要想如何，其失败自是必然的。但无论怎样，他却不想走他哥哥的路，也许因为见惯了，觉得并没有足以骄人的地方，或被他哥哥占了先，他不容易再挣出头地来。但有一件事，他一定已经弄明白了：什么都没要紧，要紧的只有钱。于是他想发财。他固然不属于有一个钱要夸说有十个钱那一类，但也不属于有十个钱却说一个钱也没有的那一类。他不想那给钱他的人向他叩头请恩，但也并不盛气凌人，他却要人承认这是他的份，他没有抢，也没有骗。

这回家乡沦陷之后，他也带着老婆和两个孩子出来了。一面说是避难，一面也想乘便发注洋财，他在土匪式的游击队里来来往往。发洋财是一种冒险，冒险而带着老婆和孩子，这实在是不小的滑稽，谁都会料到，在他冒险的途中，会遇到多少困难的，却是谁也没有料到困难会大到这样程度，竟换去了他的生命。

他曾经来看过我。

雅人说："最难风雨故人来！"我，取个巧，把它改动两个字，来表示我的（不是雅）心境，却再好也没有："最难烽火故人来！"我是不大想回到家乡去的，但我却时时想知道家乡的情形。为了这，使我和他之间的距离，缩近了许多。

承他的爱，把我看做个不大随便的人，说话的时候，非常的检点。他说他们弄钱，并不胡乱，只不过收收地亩捐，码头税。我说："只要能做点事，这也不算什么。"他见我并不十分道貌岸然，索性把真情话都说了出来："我们有时也绑票，不过绑的都是发洋财的人的票。"我没有说什么，心里在拨动着天秤。他大概已经看出了我在怎样地安排我的法码，所以带点反攻意味，激动地说：“老实说，他们的钱聚的太多了，放在那里动都不动，也没用，我们每天连稀饭都吃不周全，现在也该拿出来分散分散。这种时候，那个肯吃苦，那个愿意牺牲，那个就行。”

“不过，要真的肯吃苦，肯牺牲才行，要是只在嘴上说说，那是瞒得过一时，瞒不过一世的。”

“那自然！”

他去了之后，我想了好久，觉得他并不怎么错。他们的行动，自然不能算妥。但是，您别忘记，那是一种自发的行动，动机只在于报复，向毁了他们家的人报复，向平常欺负他们的人报复。他们并没有受过什么训练，要他们好到怎样，得慢慢地来；眼前能不受人家诱骗，也就算不坏。那些人前背后说他们闲话的人，实在并不配。因为，我想了又想，那些人并不真的在为国家民族气愤，他们所耿耿不忘的，不过是自己的荷包和保险柜。人家即使不长进，总算还在跟敌人出生入死。而他们却什么也不做，住在安全地带，说些风凉话，既漂亮，又不担惊吓，等人家弄好了，回去享现成福；弄不好，有人担错，反正永远错不到他们头上。我们许多的同胞，一向是只希望别人仁义道德，自己却不妨男盗女娼的。倘不改过，大家互相学样，总有一天，聪明人变得多起来，于是大鱼小鱼你我他都完结。因此，我更觉得我的这同乡不算错，他们虽也要钱，总算还分皂白。

事实果然也证明我的看法并没有走样。

他们的伙儿分裂了，一部分投了靠山，一部分向亮点的路上摸索。投靠的一部分想来毁这一部分做贽见的功劳，这一部分也想毁掉那投靠的一部分来见他们的心。投靠的头儿，被做掉了。局势于是混乱起来。他不得不把已经搬到乡下去的妻小再送回上海，事情就出在这里。他不该那么粗心，竟然忘了会有人在等他，自然不是专等的他。可是等不着别人，顺搭住他，总比空着手回去的强。

他死了，为他伤心的和感到快意的数目恐怕都不很大。伤心的人中我想到的是他的老婆，孩子还小，怕谈不上。快意的人中我却想到我们故乡的维持会长，虽然在感到快意之先，他得先明白其中的一段故事。

在他没有出来之前，那维持会长去见司令长官时，曾带他一道去过。

“你是某某？”司令长官问维持会长。

“是的。”

“你来做什么？”

“跟‘你老’办事的。”

“你不怕中国人说你是汉奸吗？”

“既到‘你老’这儿来，就不怕的。”

我把“你老”二字特别括出来，是因为要紧的地方就在这儿。这两个字——用我们乡音讲的时候的妙处，是没有文字可以形容得出的。即使动嘴讲，也只有我们同乡有领略它的福气，外方人——休说外国人了——只好干眨眼。它有着丰富的内容：卑鄙，厚颜，恭敬，得意，等等，都可包括在里面，但须配以适当的背景，比如，微弯的腰，略眯的眼，较低的声调，在不前不后的地方，配上一丝像是想让人知道又像是怕让人知道的笑意。而这一切，维持会长都做得恰到好处。而我的这位同乡，当他第一次来看我的时候，就形容给我听，而且形容得那么好，简直称得起天才的形容，使我大笑不止，肚子疼了老半天。一直到出去买酒的路上，还一个人笑了出来，惹得一个女学生模样的人物，向我偷看了好几眼。而那天，我竟喝了比平常多约一倍的酒。

现在他死了。将来到局面复常的时候，维持会长，也许会摇身一变，依旧甩着大袖子，翩跹过市的。到那时候，唯一对付他的办法，自然只有拼命的笑。可是当我一想到那能使我们笑得痛快唯一目睹笑境的证人，已经不在的时候，我的心不由地就凉了下来。

## 乌克兰名剧家柯尼楚克的新作

柯尼楚克（Alex. Korneichuk）是乌克兰青年剧作者中最有威望的一个。他的名剧《普拉东·克莱契特》，早已誉满全邦。近来又有一新著《波格唐·哈密尔涅茨基》出版。该剧系一历史剧，描写主人公哈密尔涅茨基在一六四八年发动的反乌克兰贵族的群众暴动事件。据作者自己说，“这是一个民众的悲剧”。这不算是主人公个人的传记剧，却是创造人民领袖的民众之剧。那些人民，坚毅，爱自由，忠于祖国，而又嫉视公敌，这才是该剧的主要主人公。批评家一致认为极成功。（寒）

# 忆

钟望阳

## 一　西子姑娘

凭着古旧的腐朽的窗栏，我怅望着薄暮的远天的云朵。——那像绵羊身上的雪白的鬈毛似的云朵，受着绚红的落日的映照，像一个美丽的处女正被她的情人热烈地吻过，娇嫩的粉脸上透露出一阵羞晕的绯红。

……

不知怎地，我忽然想到了“西子姑娘”。

那是四五年之前的事了，也是废历八月中秋过后，我同朋友们搭乘沪杭车上杭州去游玩的时候。我们所以不拣春天而偏选着这个萧杀的秋天去杭州，那是因为我们几个人之间，都有一个共通的感情，就是——春天太过于热情，我们虽然都很年青，但或许由于生活的磨难，我们却奇异地挚爱着这萧杀的秋天呵！

一到杭州，跳下火车，我把一只小手提箱交给朋友们，我说："你们先去旅舍，而我，我却先要去造访美丽的西子湖哩。"

朋友们看见我那充溢热情——这萧杀的秋天的热情呵——的态度和言辞，都笑了起来。记得克梦笑对我说："阿阳！你竟那么急急地要去造访西子么？"

不管背后送上来含带讽嘲的笑声，我跳上响着铜铃的黄包车，说："西子湖！"

跳下黄包车，我带着颗欢跳的心儿，奔赴到美丽的西子湖边。

湖水是平静得像一面变幻莫测的镜子，秋天的傍晚的微风，轻轻地吻着平静的西子湖面而拂向我来，把我从上海带到这里来的所有尘思，都洗濯得一丝儿也不剩留着。我像沐浴在这各种色彩的绫缎绸缪的西子湖的柔和的胸怀里，我感到生平所未有过的陶醉。

半环抱着这西子湖的，是苍郁的山峦，夕岚像雾霭似的，蠕蠕地萦绕着，落日像个醉酒的老翁的酡颜，他把西子湖以及其附近一带的山峦和夕岚，渲染得更加鲜丽夺色了！我真想纵身一跃，跳进这惹人爱怜的西子胸抱。

我带着微喘低下头来。啊，我忽然看见一个圆圆的脸儿，这脸上并没有施涂胭粉，两只清澈如墨晶的黑眼珠子，是那么惊异地凝盯着我，在那端正的鼻子下的小樱口，正微微地张开着，好像在讯问我："先生，你……"

这是一个船家少女，她正靠着那柄轻巧的薄桨，坐在舟梢，那只划子小舟张着白帆顶，静静地躺在美丽的西子湖面上。

我喘着气叫："喂喂！姑娘！靠船来！我要……"

小划舟靠近岸来，我跳进船肚。我说："姑娘！随便你划吧，只要在这西子湖里。"小舟开始划动起来，我仰躺在船肚子里。眺着陷在萦绕着夕岚的山峦，又侧着手去舟外拨一拨西子湖水，我的眼睛才开始默默地转射到那船家姑娘的脸上。

啊！她是在对着我微笑哪！

不知怎地，我也向她发出一个微笑。她的没有施涂胭粉的带点黝黑的脸儿立刻翻起红来了，小划舟也跟着颤栗地动乱了。我的呼吸顿时窒息起来，心头卜卜地跳荡了。

一直到黑幕掩蔽绚烂的天空，我还是躺在这如摇篮般的小划舟里，我的右手向西子湖里撩拨一下湖水，我的眼睛不转瞬地却凝着那位脸带黝黑的船家少女，我觉得她是不能离开这西子湖面的一步的，她实在是“西子姑娘”呀！

……

这天直到朋友趁乘着划子舟来找寻我的时候，我才离开那“西子姑娘”——让我这样来称呼她吧！——回到旅舍里去。

“喂，阿阳，怎么，恋爱啦？”

我只对朋友们默然地一笑。

从此，一星期的游玩杭州，我总是每天乘着“西子姑娘”的小划子舟。在这一星期中，我从没有和她搭讲过一句话语，我只是默默地跨下舟去，就仰躺在船肚子里；而“西子姑娘”呢，也就划起轻巧的薄桨，打动着西子湖水，发出泼刺的细声，——她也总是默不作声的。

记得在离开杭州的隔天，当我跨下舟去的时候，我对“西子姑娘”说:“姑娘，我明天将要动身回到上海去了。”她还是像昨天前天……似的，对我默默地嫣然一笑，但这一次的笑，或许是我的神经过敏吧，我感觉到是非常的惨然，这一天的荡舟，怎也不如昨天前天……似的那么和谐，那么温柔了!

我看出那一双清澈如墨晶似的大眼睛，饱满着盈盈欲滴的泪珠。“西子姑娘”今天的手腕，好像没有力气而定要挣出力气来似的，她拨动着薄桨，是那么的凌乱和无力呵!

我感到一阵悲哀，偷偷地用衣袖揩去了渗出眼角来的泪水，但是，我们还是默默地，大家不作一声，直到傍晚来时，我才软弱地跳到岸上。

啊，“西子姑娘”哟!……

如今，西子湖早已蒙上了污辱，我不知道今天我依凭窗栏而突然想到的“西子姑娘”，不知是怎样了?

啊，“西子姑娘”哟!愿你无恙，还是那么的美貌，和淑静的西子湖一样。

但，这是可能的么?

## 二　血的鲜花

还是依凭着古旧的腐朽的窗栏，我的眼角渗出一滴眼泪来，我感到悲哀，但我更加觉得愤恨。

远天的云朵，再也不像绵羊身上的雪白的鬈毛了，在我带有泪水的眼睛看来，那已是蓬蓬的硝烟了；那秋天的绚红的夕照，它勾引起来我另一种的忆想。——

那是多么遥长的一段时间呵！像梦，——但这梦在今天是又展示到我们的眼前了。

那是一九二七年的大革命时代，北伐军到了上海后的第三日。那时我是一个东北区的别动队的队员，我年少气盛，有一股如奔涌的海水般的热情，我憎嫌我四面的丑恶的现实，正如海时常发怒地掀起浪涛，冲击着它周围的污秽的岸滩。我的破棉袍上横跨着累累的子弹，“北佬”的灰色军帽戴在我的头上，一支短短的步枪，握在我的右手，在一个阴阴的雨天，我带领着一班同志们出巡街头，搜索着败兵散卒。

雨水静静地落着，天空是那么的阴惨，但我们的胸腔却是澎湃着狂欢的热情，我们的疲倦的面容透露出从没有过的快乐。凌乱的脚步践踏着泥泞的街头，一种像老牛细嚼草料的步履声，冲破这街头的静寂，我们的精神却从萎靡中振奋。——我们握着枪支前进！

转过大街，踏入到另一条小巷，第一眼映入我的眼帘的，是一丛散乱地粘在泥泞的雨水里的三色领带。我跨上前一步，一具穿着草绿色制服的年青的兵士的尸体，在低矮的阴暗的屋檐下仰卧着。我凄颤着嗓喉喊着口令：

“立——停！向右——转！”

我呆呆地凝视着那个为着中华民族的解放而战死的年青兵士的尸体。他是那么的年青呵，还没有到二十岁的年龄。他的脸孔是那么的苍白，潺潺的雨水像银帘一样，挂到他的秀长的脸上，眼睛深深地紧闭着，好像对这世界他一点也不加留恋。雨水早把他的脸儿洗得很是干净，我忽然发现他的右额际上有一个小小的枪眼，那小创口四面凝结着的鲜血，因着雨水的冲洗，正在慢慢地融化开来，——这是一朵正在含苞初放的鲜花呀！我的全心灵完全被那朵血的鲜花所摄住了！我爱那朵血的鲜花，我真想扑过身去深深地吻着它哪！

我竖直着我的步枪，我向同志们发着口令：

“敬礼！”

步枪齐在我的面前，我的眼睛还是注视着那朵血的鲜花。我觉得这样的死是世界上最美丽不过的，假使有一天我的右额际也有一朵血的鲜花在含苞初放的话，那我将怎样的称心哟！

雨水静静地挂到这秀长的苍白的瘦脸上，我听见我的心在跳跃。——好一朵美丽的血的鲜花哟！我愿永远擎着步枪守望在你的跟前呀！

不知道是雨水还是泪水，沿着我的脸颊流向我的唇角。但我却精神抖擞地喊着：

“枪放——下！”

我向那朵美丽的血的鲜花投瞥了最后的一眼，我又发出口令：

“向右转开步——走！”

同志们的脚步再也不凌乱了，疲倦的面容都给热烈的兴奋掩盖着。我们在雨水中精神抖擞地向着前进。……

而那一朵美丽的血的鲜花呵，直到现在，还深深地镌刻在我的心版之上。

远天的像绵羊的雪白的鬈毛似的云朵，已在变作黑灰色了，秋天的绚红的夕照，已经无力地收敛起它的光芒了。我不觉失声地痛哭起来：

“我为什么要依凭这古旧的腐朽的窗栏去忆想呢？”

十月六日

# 编　后

这一期的出版日子，恰与鲁迅先生逝世三周年的纪念日相近，因此我们特约几位作者写几篇较有系统的文章，出了个纪念特辑，来表示“此时此地”的我们对于鲁迅先生的崇敬。本来特约执笔的不只这几个人，但因为种种的原因，收到的只有这些稿件，所以并未能达到我们原有的愿望，可是这已尽编者所有的“拉稿”能力了。

在这里，我们首先应该感谢景宋先生，特为我们写出不易知道的鲁迅先生的日常生活，这不只是一个文人的“逸话”，而且是研究鲁迅先生最好的难得的文件；我们在这伟大作家的日常生活中，可以得到不少的教益。

其次，《鲁迅的创作方法》和《鲁迅与尼采》，也是两篇研究鲁迅先生的重要论文。《鲁迅与尼采》的作者，还是一位二十岁左右的青年；他以这样的年龄，而能有这么严正的精神来治学，真是可敬。虽然在这篇论文中，对于尼采的个性解放，在某一历史阶段上的革命性，估计尚不充分，多少有点机械的味儿，但对于鲁迅先生的思想的分析，却非常的正确。

《长明灯》，这一篇特为纪念而把鲁迅先生的作品《长明灯》改编的剧本，是几位爱好戏剧的青年的集体创作，听说已于鲁迅先生逝世三周年的纪念日，十月十九日，在某大戏院演出了。剧本并不十分完好，但他们的努力，自编、自导、自演的精神，可值得嘉许。

此外，我们还要介绍另一位青年作者，写《陆默》的田青先生，他以清新简练的文笔，描画出一个有为的现代青年的姿态，是相当成功的。

《春天》是从《文艺突击》转载过来的。《文艺突击》是陕北出版的一个文艺刊物，因为文通不便以及其他的关系，别的地方不易看见，而这篇小说又是描写抗建的新事业，集体春耕，更值得注意，因此我们破例转载一篇，使不曾到内地去的人们，知道抗建的新花朵，是怎样在遥远的荒瘠的西北高原中繁植着。

另者，本刊每次的编后，都恳切地和作者读者诸君要稿件，但没有收寄的地址，故等于白说；现在我们已商得总经售处的同意，无论在香港或内地的读书生活出版社都可代我们收转稿件，望投稿诸君特加注意。本刊的代转稿件处：

香港摆花街三十三号三楼

桂林桂西路十七号

昆明华山南路九十号

重庆武库街一百号

成都祠堂街七十二号

贵阳中华南路五十七号

## 苏联今日的电影

爱国主义，在苏联，是被视为国际主义之一环。它的爱国主义——是爱护人民大众的祖国，是准备为祖国而流血，为人类的再生而斗争。苏联现阶段革命电影的特征之一，即在于此。在社会主义建设时代，在法西斯暗影吞噬着整个世界并威胁着社会主义祖国的今日，很显然的，普罗阶层的祖国正在由血肉的代价，使这祖国照耀于肥沃而广大的大地之上。因而有反映在银幕上面的建设中的工厂和农场（《农夫曲》等等）。此外，在张鼓峰事件发生之前，他们早就以边境事件，摄成影片（《苏联边境》、《海军前哨》、《边塞风云》等等）。（寒）

## 三联经典文库第二辑简目

《游击战教程》 明凡 / 著

《游击战术纲要》 陶剑青 / 编著

《汪精卫卖国的理论与实践》 钱俊瑞 / 著

《抗战以来》 韬奋 / 著

《陕行纪实》 楚云 / 著

《随军散记》 沙汀 / 著

《被日寇囚系半载记》 王研石 / 著

《倭营历险记》 房沧浪 / 著

《活跃的新西北》 田影 / 编著

《保卫华北的游击战》 刘清扬 陈北鸥等 / 著

《徐州突围》 《徐州突围》编委会 / 编

《沦亡的平津》 长江 小方等 / 著

《淞沪火线上》 胡兰畦等 / 著

《瞻回东战场》 长江 罗平 / 著

《东线的撤退》 胡兰畦等 / 著

《抗战中的西北》 徐盈 / 著

《鲁闽风云》 徐盈等 / 著

《西线生活》 西北战地服务团集体创作

《中国解放区见闻》 ［美］福尔曼著 / 朱进译

《全面抗战论》 潘汉年 / 著

《日本的间谍》 范士白自述 / 尊闻译

《日本大陆政策的真面目》 国难资料编辑社 / 编

《民众动员论》 李公朴 / 著

《中国外交史》 钱亦石 / 编著

《太平洋军事地理》 蒋震华 / 著

《世界经济地理讲话》 思慕 / 著

《列强军力论》 ［德］马克斯·威纳尔著 / 宾符　仲持　梅益等译

《近代国际关系史》 张铁生 / 著

《太平洋现势手册》 沈志远　石啸冲 / 编著

《近代世界政治史》 钱亦石 / 著

《从战争到和平——一九四五年的世界政治》 乔木 / 著

《战后日本问题》 思慕 / 著

《最近一年间的国际动态（1946.7–1947.6）》 《东北日报》社 / 编

《论政党》 翟放 / 著

《法与宪法》 韩幽桐 / 编著

《中华民国宪法刍议》 罗家衡 / 著

《民主·宪法·人权——作之民》 费孝通 / 著

《宪法论初步》 潘念之 / 著

《对反民主的抗争》 韬奋 / 著

《农村改进的理论与实际》 江恒源 / 著

《上海产业与上海职工》（上下）　　朱邦兴　胡林阁　徐声 / 合编

《陶行知教育论文选辑》　　陶行知著 / 方与严编

《中国通货膨胀论》　　杨培新 / 著

《中国及其未完成的革命》　　H·普拉特著 / 蒋天佐译

《中国的建设问题与人的训练》　　卢作孚 / 著

《论中国特殊性及其他》　　艾思奇 / 著

《中国经济问题讲话》　　钱俊瑞　徐雪寒　王渔邨　姜君辰　骆耕漠 / 合著

《中国经济的道路》　　许涤新 / 著

《中国财政之病态及其批判》　　孙怀仁 / 著

《官僚资本论》　　许涤新 / 著

《五四运动之史的评价》　　陈端志 / 著

《中国通史简编》（上下）　　中国历史研究会　范文澜 / 主编

《论文学的工农兵方向——读〈在延安文艺座谈会上的讲话〉》　雪苇 / 著

《中国近代史（上编　第一分册）》　　武波 / 编著

《文学百题》　　傅东华 / 编

《中国史学之进化》　　周谷城 / 著

《论民族形式问题》　　胡风 / 著

《论批评》　　荃麟等 / 著

《中国史纲》（第一卷上下、第二卷上下）　　翦伯赞 / 著

《近代中国思想学说史》（1–4）　　侯外庐 / 著

《中国政治思想史》（上下）　吕振羽 / 著

《中国哲学史纲要》　向林冰 / 著

《中国政治史讲话》　钱亦石 / 著

《中国社会经济史纲》　王渔邨 / 著

《新财政学大纲》　千家驹 / 著

《太平天国革命运动论文集——金田起义百周年纪念》

华北大学历史研究室 / 编

《理性与自由——文化思想批评论文集》　胡绳 / 著

《战斗者的诗人》　黄药眠 / 著

《国语文法》　曹朴 / 著

《教育哲学》　张栗原 / 著

《妇女问题讲话》　杜君慧 / 著

《婚姻 · 子女 · 继承》　沙千里 / 著

《性教育新论》　布士克　雅各生合著 / 董秋斯译

《狱中杂感》　杜重远 / 著

《七人之狱》　沙千里 / 著

《爱迪生传》　伍况甫 / 译

《歌德自传》（上下）　歌德著 / 思慕译

《尼赫鲁自传》　[印度] 尼赫鲁著 / 毕来译

《列宁传》　[苏] 凯尔任采夫著 / 企程　朔望译

《罗斯福总统传》　C. Mackenzie 著 / 张尚之译

《托尔斯泰传》（1–3）　[英] 阿尔麦 · 莫德著 / 徐迟译

《革命文豪高尔基》　［美］亚历山大・康恩著 / 韬奋编译

《鲁迅纪念特辑》　新中国文艺社 / 编

《回忆鲁迅先生》　萧红 / 著

《人民文豪鲁迅》　平心 / 著

《亡友鲁迅印象记》　许寿裳 / 著

《鲁迅思想研究》　何干之 / 著

《鲁迅研究》　夏征农 / 编

《过来的时代：鲁迅论及其他》　雪峰 / 著

《电影戏剧表演术》　洪深 / 著

《日常心理漫谈》　［美］约瑟夫・查斯特罗著 / 曾宝葹译

《心理常识漫话》　朱智贤　杨云美 / 著

《读书的方法与经验》　王任叔 / 著

《美国黑人生活纪实》　［美］加德维尔　斯坦倍克著 / 董秋斯译

《初访美国》　费孝通 / 著

《事业与成功》　［美］马尔腾著 / 汪原放译

《萍踪寄语（初集）》　韬奋 / 著

《一生的幸福前途——〈生活周刊〉信箱选集》　生活书店 / 编选

《深刻的印象》　生活周刊社 / 编

《海外的感受》　生活书店编译所 / 编

ISBN 978-7-108-04688-8

9 787108 046888 >

定价：30.00元